이베임 그랑
엘리 이브닝
LV.104 HP:4750 MP:6500
《칭호》마왕, 엘리멘탈 레이디,
퓨어 프린세스…
마국 하아스를 통치하는 마왕. 평화를 바라며 최소한의 피해로 전쟁을 끝내려는 마음씨 착한 소녀. 히이로를 믿고 마음을 열었다.
리린 리 레이시스
레드로즈
LV.154 HP:6713 MP:7046
《칭호》애주가, 붉은 장미의 마녀…
오랜 세월을 산 마녀. 《환몽마법》을 다루는 실력자며 거만한 성격. 히이로는 그녀의 꿈을 이루기 위해 힘을 빌려준다.
GOLDEN WORDM

윈카 지오
LV.79 HP:2830 MP:751
《칭호》천부적 재능, 대식가…
한때 히이로와 여행한 인간족과 수인족의 혼혈인 소녀. 아버지를 찾아 여행하고 있다. 스카이 울프라는 몬스터 하네마루와 항상 함께한다.
뮤아 카스트레이아
LV.72 HP:1800 MP:380
《칭호》번개의 벗, 변해 가는 소녀, 찌릿찌릿 롤리타…
히이로가 처음 만나서 여행한 수인족 소녀. 히이로의 말을 가슴에 새기고 강해지기 위해 수련을 쌓아 성장했다.
ASTER Girls Side

금색의 문자술사

워드마스터

용사 네 명에게 휘말린 유니크 치트

10

토모토 스이 지음
스마키 슌고 일러스트
김장준 옮김

CONTENTS

이세계【이데아】지역 맵

히이로 파티

오카무라 히이로 Lv.204 HP:7880 MP:15500

《마법》문자마법(한 글자 해방, 공중 문자 해방, 두 글자 해방…)
《칭호》말려든 자, 이세계인, 문자술사…
▶ 이세계에 소환된 고등학생. 적은 문자의 이미지를 구현하는 《문자마법》을 사용하여 이데아 여행을 계속하고 있다.

리린 Lv.154

《마법》환몽마법
《칭호》환영과 함께 사는 자…
▶ 마계 변경에 살던 거만한 마녀. 거만한 실력자.

시우바 플루티스 Lv.82

《마법》풀 볼(암)…
《칭호》어둠의 정령…
▶ 리린을 모시는 집사이자 정령의 이단자.

닛키 Lv.70

《전기》폭권
《칭호》???, 버려진 아이…
▶ 몬스터가 키운 소녀. 어떤 사건으로 히이로의 제자가 됐다.

카뮤 Lv.85

《마법》샌드 니들(토), 샌드 아머(토)…
《칭호》사막과 함께 사는 자, 쌍칼잡이…
▶ 사막에 사는 마인 아수라족의 젊은 족장.

수왕국 측

아놀드 오션&뮤아 카스트레이아 Lv.72

▶ 한때 히이로와 함께 여행한 수인족 모험가. 현재는 【수왕국 파시온】에서 수련 중이며, 수인족과 마인족의 운명을 건 싸움에서 히이로와 재회했다.

프롤로그

레오우드 킹은 《왕수》로 들어가자마자 서둘러 아내 브란사 킹을 찾아갔다. 브란사는 양손을 다친 아놀드 오션의 누나, 라이브 오션을 간호하고 있었다.

""어머니!""

제1 왕녀 쿠크리아 킹과 제2 왕녀 미미르 킹이 동시에 놀란 가슴을 주체하지 못하여 어머니에게 안겼다. 브란사도 무사한 두 딸을 보고 안도하며 긴장된 표정을 풀었다.

옆에는 마찬가지로 안도의 숨을 토하는 제1 왕자 렉글루스 킹과 제2 왕자 레니온 킹도 있었다.

"브란사……."

"당신……."

레오우드가 브란사에게 다가갔다. 둘은 서로를 바라보다가 이내 고개를 끄덕였다. 레오우드도 딱딱하게 굳었던 표정이 제법 풀렸다. 하지만 눈길을 창밖으로 돌리고 하늘로 길게 이어지는 검은 연기를 본 그는 다시금 얼굴을 찌푸렸다.

"브란사, 라이브, 대체 이 나라에서 무슨 일이 있었지? 상세하게 말해 봐라."

그 자리에 있는 사람이 모두 브란사와 라이브에게 주목했다.

이곳 【수왕국 파시온】에서 무슨 일이 있었는가. 브란사가 직접 모두에게 설명했다.

갑자기 나라에 나타난 두 검은 로브가 도시를 파괴하고 국가의 상징이자 수인이 숭배하던 《시작의 나무 아라고른》이 말라 버렸다는 것이었다.

그리고 레오우드는 검은 로브 중 한 사람의 이름을 듣고 어금니에 저절로 힘이 들어갔다.

"—그런가. 역시 놈은…… 코쿠로는 나를 원망하고 있나."

괴로운 표정을 짓는 레오우드에게 레니온이 반응했다.

"아버지, 대체 그 코쿠로라는 자식은 누구야?"

그 질문에 레오우드와 브란사가 답답한 표정만 돌려줬다. 어떻게 설명하면 좋을지 망설이는 기색이었다.

하지만 코쿠로라는 인물과 그만큼 복잡한 일이 있었다는 것은 누구나 이해했다.

"……여보, 이 아이들에게는 전부 털어놓는 게 어때?"

"하지만 브란사……."

"나는 괜찮아. 고마워, 여보."

"……그래, 알았다."

그래도 역시 말하기 어려운지, 레오우드는 입을 일자로 다물고 허공의 한 점만 응시할 따름이었다. 다들 레오우드가 입을 열기를 기다리며 지켜봤다.

그리고 십수 초가 지난 뒤, 마침내 레오우드가 무거운 입을 조용히 열었다.

"코쿠로는…… 선대 수왕 렌독의 오른팔으로 불리던 가레오스 쾨니히의 장남이다. 그리고—."

레오우드는 잠깐 뜸을 들이고…… 놀라운 사실을 밝혔다.

"—여기 있는 브란사의 동생이다."

"도…… 동생……?"

누가 흘린 말인지는 알 수 없었다. 하지만 누가 입에 담았어도 이상하지 않은 의문이었다.

"코쿠로는, 가레오스가 전쟁터에서 주운 고아였다."

레오우드는 조곤조곤 알기 쉽게 설명했다.

아직 레오우드가 수왕에 즉위하기 전의 이야기.

코쿠로의 아버지 렌독이 나라를 다스리던 시대. 난세가 이어지던 세상, 다툼이 끊이지 않는 나날로 사람들이 피폐해져 가던 와중, 『수인족』과 『인간족』 사이에서 어떤 큰 전쟁이 발발했다.

수인계에서 벌어진 그 전쟁은 가까스로 수인들의 승리로 막을 내렸으나, 그 피해는 막심했다. 여러 마을이 희생되었고 많은 생명이 사라졌다.

그리고 【에그마】라는 작은 마을도 전쟁에 휘말려 주민은 거의 몰살당했다. 당시의 《삼수사》를 이끌던 가레오스 쾨니히는 마을을 구하지 못했다며 몹시 비통해했다.

하지만 다행히 어느 가족의 아이들이 아직 살아 있다는

정보가 들어왔다. 서둘러 확인하러 가자 그곳에는 『인간족』의 공격에서 아버지와 어머니에게 보호받아 생존한 남매가 있었다. 두 아이 모두 겨우 대여섯 살밖에 되지 않았고, 어느 쪽이나 구름 같이 흰 머리를 하고 있었다.

"그 남매가 마을의 유일한 생존자였어."

누나의 이름은 네레이. 그리고 동생의 이름이…… 코쿠로였다.

"전쟁고아……였나요."

렉글루스의 입에서 중얼거림 같은 질문이 나왔다. 레오우드는 약하게 고개를 끄덕이고 말을 이었다.

"가레오스는 올데갈데없는 두 아이를 양자로 거뒀지."

그것이 두 아이의 부모를 구하지 못한 가레오스가 할 수 있는 최대한의 속죄였다. 물론 아이가 두 명 늘어난다고 생활이 어려워질 지위도 아니었기에 가능한 일이었지만.

그리고 그에게는 일곱 살이 된 딸이 한 명 있었다.

"그게 여기 있는 나의 아내…… 브란사다."

모든 이목이 브란사에게 쏠렸다. 이로써 방금 레오우드가 말한 내용이 이해됐다. 그렇다면 동생이라고 해도 이상하지 않았다.

가레오스가 아직 어린 세 명을 데리고 당대 왕 렌독에게 인사하러 갔을 때, 레오우드는 그곳에서 처음 그 아이들을 만났다.

"처음 만났을 때, 코쿠로는 척 보기에도 연약한 아이였다. 나는 그때 이미 열 살을 넘겼고 누구보다 많은 수련을 쌓은 탓에 더욱 코쿠로가 왜소해 보였지. 하지만 눈에는 예리한 힘을 품고 있었어. 약한 주제에 덤빌 것처럼 노려보던 것이 기억나."

레오우드의 말을 듣던 브란사도 그리운 듯 눈을 가늘게 떴다.

"네레이도 어리지만 아름다운 아이였지."

"응, 맞아."

브란사는 눈을 감고 동조하며 말을 이어받았다.

"그리고 그 아이는 무척 우수했어. 머리도 좋고 예의 바르고, 무엇보다 심지가 곧았지. 정말 그리워."

기억을 더듬으며 브란사가 말하고, 레오우드도 거기에 말을 보탰다.

"유히트가 혀를 내두를 정도였으니까."

누구나 인정하는 【파시온】의 두뇌 유히트 판날이 그렇게 인정했다면 평범한 사람은 상상도 하지 못할 정도로 현명했으리라고 쉬이 짐작할 수 있었다.

그로부터 이따금 네 사람은 함께 놀았다. 특히 연약한 코쿠로는 자주 레오우드와 검이나 주먹을 나누며 몸을 단련했다. 브란사와 네레이는 그런 둘을 웃으며 지켜봤다. 그렇게 세상은 전쟁 중이라도 네 사람 사이에는 평화가 이어지고 있었다.

그리고 10년이 지나고 네 사람은 몸도 마음도 건강하게 성장했다. 특히 코쿠로는 만났을 때와는 몰라볼 정도로 몸이 다부지게 변했고, 검 실력은 레오우드조차 미치지 못할 만큼 높은 경지에 올랐다. 그에게는 탁월한 검의 재능이 있었다.

전쟁에도 나가게 된 코쿠로는 적에게 《하얀 칼날》이라고 불리며 두려움을 사기도 했다. 그는 밤낮으로 나라를 위해서 레오우드와 함께 싸웠다.

또한, 네레이도 브란사와 함께 레오우드의 약혼자가 되어 매일 훌륭한 동반자가 되기 위해서 노력을 거듭했다.

"하지만 그러던 어느 날…… 그 사건이 일어났다."

제1장 스피릿 포레스트

―50년 전.

【수왕국 파시온】에 갑자기 전염병이 돌았다. 유히트와 그의 동생 라라시크 판날이 필사적으로 원인을 규명하려고 필사적으로 연구했지만, 좀처럼 유효한 수단을 찾지 못했다.

처음에는 단 한 명의 국민이 발병했을 뿐이었지만, 그게 서서히 퍼지는 독처럼 온 나라를 침식했다. 많은 국민의 고통에 찬 목소리를 듣고 수왕 렌독도 병을 근절하기 위해 가까운 마을로 달려가서 조금이라도 원인을 알아내려고 노력했지만, 전부 헛수고로 끝났다.

그 병은 《고갈병》이라고 하여 한 번 감염되면 날이 지날수록 체내 수분이 줄어드는 병이었다. 아무리 수분을 섭취해도 진행을 조금 늦출 뿐, 근본적인 해결은 되지 않았다.

많은 생명이 사라진 뒤, 마침내 수인이 자랑하는 천재 연구자 유히트가 시행착오 끝에 신약 개발에 성공했다. 그건 희귀한 약초를 달여서 만든 약이라서 양을 얼마 확보할 수 없었으나, 간신히 병에 걸린 이들에게 모두 투여할 수 있었고 병의 확산을 막아 냈다.

그런데―.

"뭐라고? 브란사와 네레이가……?!"

보고를 받은 렌독은 경악했다.

제조한 약이 거의 떨어질 즈음 이번에는 브란사와 네레이에게 동시에 《고갈병》이 발병했다.

렌독은 곧바로 유히트에게 남은 약을 가지고 오라고 지시했지만— 약은 한 사람분밖에 없었다.

"당장 부대를 편성해 약초를 찾아라!"

하지만 그 직후, 한 병사가 부리나케 달려와 보고했다.

"—보고합니다! 『인간족』이 이곳으로 침공을 개시했습니다!"

"뭣이?!"

이 타이밍에 약초 수색에 병사를 할애하면 전투에 패할지도 모른다. 하지만 렌독도 두 사람을 구하고 싶은 마음은 굴뚝같았다. 둘 중 한 명을 아들 레오우드의 아내로 맞으려고 했을 정도니까.

그런 긴박한 상황 속에서 《삼수사》의 대표— 가레오스가 앞으로 나섰다.

"저 하나가 빠진다 한들 우리 군이 힘을 합치면 인간 따위는 능히 막아 내리라 믿습니다. 그러니 렌독 왕이시여, 제게 약초를 찾도록 명해주십시오."

렌독은 오래 고민하였으나, 가레오스의 제안을 수락했다.

그리고 가레오스가 떠나는 날, 그는 식음을 전폐하고 누나 네레이를 간병하던 코쿠로에게 절대로 늦지 않게 오겠다고 말했다.

"아버지…… 부탁……할게! 누나를 구해줘!"

코쿠로는 그 말을 믿고 눈물을 흘리며 애원했다.

사실 코쿠로는 스스로 찾으러 가고 싶었으리라. 하지만 네레이를 혼자 둘 수는 없었다. 게다가 이렇게 나라 제일의 강자인 가레오스가 간다면 믿고 맡길 수 있었다.

하지만…… 결론부터 말하자면 가레오스는 이 땅으로 돌아오지 못했다. 약초를 찾다가 흉악한 몬스터에게 당했는지, 아니면 잠복하던 인간에게 당했는지는 알 수 없었다.

가레오스의 행방을 전혀 알 수 없는 채 시간이 지나고 결국 브란사와 네레이의 용태도 한계에 달했다.

언제나 건강하던 그녀들의 피부는 거뭇하게 변색하고 말라 죽은 나무처럼 퍼석해졌다. 이미 목소리조차 마음대로 낼 수 없는 것 같았다. 아름다웠던 그녀들의 얼굴은 보기만 해도 눈물이 나올 만큼 추하게 변해 버렸다.

가능한 한 모아도 약은 1인분. 코쿠로는 아무런 망설임도 없이 친누나에게 투여해 달라고 애원했다. 네레이가 병세가 더 심했기 때문이었다.

하지만 약은 1인분뿐. 네레이에게만 투여할 수는 없다며 모두 고민했다.

절망에 사로잡힌 코쿠로는 어떻게 해서든 누나를 살리려고 유히트에게서 억지로 약을 빼앗으려고 했다. 그 폭력적인 행동으로 유히트가 넘어져 다치고 말았다.

이대로 더 날뛰었다가는 무슨 사고를 칠지 몰라서 레오우드는 자신의 권한으로 코쿠로를 잠시 감옥에 가둬 놓기로 했다.

생각지도 않은 기습을 받은 코쿠로는 정신을 잃었고 깨어났을 때는 감옥 안이었다. 그리고 그 감옥을 찾아온 레오우드는 그에게 이렇게 말했다.

"괜찮다. 네레이는 반드시 구하마."

코쿠로도 진지한 눈빛을 보내는 레오우드의 말에 조금 냉정함을 되찾았는지, 며칠이나 잠들지 못했던 피로가 한번에 밀려와서 그대로 잠기운에 몸을 맡겼다.

어느 날, 레오우드는 네레이를 간병하던 시녀에게 부름을 받고 홀로 그녀를 찾아갔다.

병상에 누운 네레이는 몸이 비쩍 말라 무척 안쓰러운 모습이었다.

거기서 레오우드는 네레이에게 충격적인 말을 들었다. 아니, 그것만이 아니라 그 뒤 **네레이가 한 행동**으로 사람들은 **어떤 선택**을 강요받았다.

—그리고 코쿠로에게 운명의 날이 찾아왔다.

다시 감옥에 온 레오우드의 말을 듣고, 코쿠로는 얼굴이 사색이 되었다.

"…………미안하다. 브란사밖에 구하지 못했다."

코쿠로가 이상해진 것은 이때였을 것이다. 종일 감옥에서 통곡 소리가 울려 퍼졌고, 사흘 후 감옥에서 나오도록 허락받은 그의 머리카락은 흑백 얼룩무늬로 변해 있었다.

그뿐 아니라 눈동자에서는 광채가 사라졌고, 보기만 해도 절로 뒷걸음질 치게 되는 공허함이 두드러졌다.

그 섬뜩한 변모에 모두 말을 잇지 못하는데 그는 단 한마디…….

"누나를 애도하고 싶어."

그렇게 말할 뿐이었고, 모두 거기에 동의해 네레이의 장례는 엄숙하게 치러졌다. 그날은 귀가 아플 만큼 억수같은 비가 쏟아졌다.

비는 오래도록 이어졌다. 마치 누군가가 울음을 그치지 못하는 것처럼 비도 그칠 기미를 보이지 않았다. 그러던 그때, 기쁜 소식이 들려왔다.

"가레오스가 돌아왔다!"

렌독의 말을 듣고 모두 표정을 환하게 폈다. 단 한 명, 코쿠로만 빼고.

그 손에는 틀림없이 약초가 들려 있었다. 하지만…… 늦었다.

그는 너무 늦었다. 몸은 진흙과 상처로 엉망에 만신창이지만, 그는…… 너무 늦고 말았다.

그런데 불현듯— 한 줄기 빛이 번뜩였다.

"……! 악…… 아."

가레오스에게서 신음 같은 소리가 들렸다. 코쿠로의 검이 가레오스의 가슴을 관통해 있었다.

"무, 무, 무슨 짓이냐, 코쿠로!"

모두 아연실색한 가운데, 렌독이 버럭 소리쳤다. 하지만 경악스럽게도 코쿠로는 그곳에 있는 자들을 차례차례 무차별적으로 공격했다.

그 일그러진 얼굴은 이 세상 사람 같지 않았고 마치 지옥의 악귀에 씐 것 같았다. 눈에 보이지도 않는 속도로 흑백의 섬광이 사방을 휩쓸었다.

레오우드가 코쿠로의 폭주를 멈추려고 막아섰지만, 그 박력에 무심코 기가 눌릴 정도였다.

"코, 코쿠로……!"

하지만 그 망설임이 패착이었다. 그 순간, 레오우드는 온몸이 난자당했고 코쿠로는 곧장 렌독에게 뛰어들어 그의 가슴에 칼을 꽂아 버렸다.

그리고 코쿠로는 한마디만 내뱉었다.

"……전부 거짓말만 해."

그 말만 남기고 그는 《왕수》에서 뛰쳐나갔다.

지옥 같은 참상 속에서 레오우드만 아직 의식이 있었고 그의 이름을 계속 불러 보았지만, 그 목소리는 빗소리에 묻혀 사라지고 말았다.

레오우드의 오래된 기억을 듣고 그의 자식들은 하나같이 할 말을 잃었다.

"—그 후로 백방으로 녀석을 수색했지만, 찾지 못했다……. 나는 목숨을 건졌어도 가레오스는 거의 즉사였고, 아버지도 그 상처 때문에 타계하셨지. 그리고 절묘한 타이밍에 이번에는『마인족』이 습격했다."

가까스로 막아냈지만, 심각한 피해를 입었다. 그리고 생포한 마인족에게 정보를 캐내는 데 성공했다. 그것은 코쿠로가『마인족』에게 정보를 유출해 습격할 기회를 만들었다는 내용이었다.

"놈은 진심으로 이 나라를 멸망시키려고 한다. 그것도 한 번이 아니라 몇 번이나. 하지만 당시《삼수사》와 라라의 조력을 얻으며 지금까지 해쳐 나왔지만……."

그래도 잃은 것은 컸다. 코쿠로의 반란은『수인족』에 큰 상처와 고통을 줬다.

"시간이 얼마쯤 지나자 놈은 더 나타나지 않았다. 죽었다는 소문이 흘렀지만…… 역시 살아 있었군."

레오우드의 이야기가 끝나도 누구 하나 입을 열지 않고 침묵을 지켰다. 상상도 하지 못한 과거에 어떻게 반응하면 좋을지 몰라서 그러리라.

하지만 미미르가 마음을 굳게 먹고 침묵을 깼다.

"하, 하지만 어머니, 할아버지는 병으로 타계하셨다고 하셨잖아요."

브란사는 미미르뿐 아니라 코쿠로를 모르는 사람은 모두에게 그렇게 가르쳤다.

"응. 결과를 놓고 보면 너희에게 거짓말은 한 셈이야. 그 끔찍한 사건을 아는 사람은 정말로 얼마 되지 않아. 그 후로 쾨니히라는 이름은 불행을 부른다는 말이 퍼지면서 나도 서둘러 이 사람과 혼인해 성을 버렸어."

"그, 그러셨나요……. 하지만 왜 어머니와 아버지는 진실을 알려주지 않으셨나요?"

다들 그 대답을 원하듯 두 사람에게 주목했다.

"……수인은 인연을 중시하는 종족. 설령 피가 이어지지 않아도 그 결속은 견고하다. 그게 우리의 상식이지. 그래서 우리 『수인족』에게서 배신자가 나왔다는 이야기를 후세에 남기고 싶지 않았다. 그리고 코쿠로는 죽었다는 보고도 있었으니까 시간이 흐르면 자연스럽게 이 사건도 묻힐 것이라고…… 그리 생각했다."

하지만 코쿠로는 죽지 않고 지금까지 몸을 숨기고 있었을 뿐이었다.

"수인의 결속은 『인간족』이나 『마족』과는 비교가 되지 않게 강하다. 역사를 통틀어 보아도 코쿠로 한 명이 반란을 일으킨 사건이 전부일 정도지. 그래서 함부로 사건을 알려서 우리의 결속에 의구심을 심고 싶지 않았는데…… 그게 실수였나 보군."

레오우드는 얼굴을 들어 아련하게 눈을 찌푸렸다.

"아무리 숨겨도 이렇게 언젠가는 밝혀지는구나. ……진실을 알리고 함께 극복하는 것도 결속이겠지."

레오우드는 진실을 몰랐던 이들의 얼굴을 돌아보고 살며시 머리를 숙였다.

"지금까지 숨겨서 미안하다."

"아, 아니에요! 아버지가 어떤 마음으로 사건을 숨겼는지 잘 알았어요!"

"그래! 수인의 배신…… 불안하게 생각하는 게 당연해."

마음씨 착한 미미르와 쿠크리아는 전면적으로 레오우드와 브란사의 행동을 용서했다.

"우리를 더 믿고 알려줘도 됐을 텐데 말이야. 안 그래, 형?"

"맞아."

렉글루스도 레니온의 말에 동조하며 그대로 말을 이었다.

"레니온 말대로 아버지와 어머니는 더 우리를…… 수인을 믿어주십시오."

"렉글루스……."

"그런 일로 흔들릴 수인이 아닙니다. 그 정도로 약한 종족이 아닙니다. 물론 그 참담한 과거가 또 이 나라에 재앙을 초래했죠. 그렇기에 우리의 결속력으로 그 재앙을 타파할 수밖에 없지 않습니까?"

힘차고 올곧은 눈동자로 렉글루스가 모든 이의 얼굴을 봤다. 미미르와 쿠크리아도 거기에 호응해 작게 고개를 끄덕였다.

"……크크, 언제까지고 어린애일 줄만 알았지만, 설마 너희에게 배울 줄이야."

"칫, 아버지도 애 취급 좀 그만해."

"맞아요. 이래 봬도 수왕의 핏줄인걸요."

"그렇군……."

레오우드가 하늘을 올려다보며 가볍게 심호흡하고 말했다.

"……그렇게 약한 종족이 아니다…… 가슴을 찌르는 말이군. 그때 내가 네레이의 말에 동요하지 않고 행동했다면 네레이는 죽지 않았을지도 모른다. 코쿠로를 더 신경 썼더라면 그 녀석의 폭주를 막았을지도 몰라."

"당신…… 그건 어쩔 수 없는 일이었어."

회한에 젖은 레오우드에게 브란사가 살며시 몸을 기댔다.

"네레이는…… 그 아이가 얼마나 고민하고 낸 대답인지, 나는 잘 알아. 같은 사람을 사랑한 여자니까."

"브란사……."

"그리고 코쿠로도 그래. 네레이를 잃고 마음에 상처를 받은 건 그 아이만이 아니야. 당신도 똑같잖아? 사랑하는 사람을 잃고 괴로운 건 당신도 마찬가지인데 어떻게 다른 사람까지 배려하겠어."

"하지만 그게 왕위를 이은 자가 할 행동일지도 몰라. ……그때 나는 틀림없이 약했다. 특히 마음이."

레오우드는 커다란 주먹을 굳게 쥐고 떨었고, 모두 그 모습을 복잡한 심정으로 지켜봤다.

"……어쨌거나 선택의 순간은 지났다. 내가 할 수 있는 일은 앞으로 선택을 그르치지 않는 것이다. 소중한 이들을 지키기 위한 선택을."

눈물을 흘리며 몸을 맡긴 브란사를 레오우드가 상냥하게 끌어안아 그녀의 눈물을 손가락으로 훔쳤다.

"나는 이제 도망치지 않겠다. 그 녀석…… 코쿠로에게 반드시 전해야 할 말도 있으니까."

하지만 그러려면 큰 장애가 있다고 덧붙이며 말을 이었다.

"상대는 코쿠로만이 아니다. 놈을 부리는 자는…… 선대 마왕 아보로스다."

그 이름을 듣고 숨을 헉 삼키는 소리가 들렸다.

얼마 전 『수인족』과 『마인족』의 운명을 가르는 결투—《아가시》가 이루어졌다. 그 결과, 두 종족이 《항구적 동맹》을 체결했다.

하지만 그 직후 나타난 것은 죽었다고 알려진 선대 마왕—아보로스 그랑 얼리 이브닝이었다. 그는 수인과 마인의 정상이 모인 그곳에서 세계를 지배하겠다고 선전 포고했다.

"좌우지간 이번 결투는 우리도 큰 성과를 얻었다. 선대 마왕의 실력은 차원이 달라. 게다가 놈이 이끌던 자들도 분위기가 범상치 않았지. 하지만 이번에는 우리 『수인족』뿐 아니라 『마인족』도 함께 싸워줄 것이다."

"아…… 히이로 님."

미미르가 중얼거린 말에 레오우드도 살짝 입꼬리를 올렸다.

"그래, 나를 쓰러뜨린 히이로도 힘을 빌려준다면 이보다 든든할 수 없겠지."

"하지만 아버지! 코쿠로는 수인이잖아! 수인의 문제는 수인이 해결해야 하는 거 아니야?!"

내부의 문제에 외부인을 끌어들이는 방식이 마음에 안 드는지, 레니온이 못마땅하게 반발했다.

"안다. 코쿠로는 우리 『수인족』이 처리해야 한다."

"아버지…… 역시 말이 통해."

"물론이지. 『수인족』의 문제는 『수인족』이 해결한다. 하지만 상대는 코쿠로만이 아니다. 아마 전쟁이 터지면 선대 마왕도 적잖은 병력을 투입하겠지. 우리만으로는 대처하기 힘들 가능성이 커. 그만큼 아보로스는…… 강하다."

레오우드가 그토록 인정하는 사실에 사람들은 마른침을 삼켰다.

"그러니까 우리는 앞으로 『마인족』과 긴밀하게 연락하며 병력을 확충해야 한다."

그 제안의 정당성에는 아무도 이견을 표하지 않았다. 하지만 마음에 걸리는 점이 있었는지 레니온이 발언했다.

"……설마 『인간족』과도 손을 잡겠다는 말은 안 하겠지?"

『인간족』은 『마인족』보다 감정의 골이 깊었다. 그들은 『수인족』을 가축으로밖에 보지 않는다고 생각하는 수인이 대부분이었다.

"무슨 말씀이에요, 히이로 님도 인간이에요!"

미미르가 소리치지만, 레니온은 혀를 찼다.

"그건 알아! 그래도 그 녀석은 다른 세계에서 왔다며? 그러면 『인간족』이 아니라는 소리야!"

"그, 그건……."

생물의 특성으로 분류하면 오카무라 히이로는 『인간족』에 속하겠지만, 레니온이 말하는 대로 그를 이 세계—【이데아】의 『인간족』으로 취급해도 될지는 의문이었다.

미미르는 히이로를 전적으로 신뢰하지만, 그건 그가 종족을 초월한 사고방식과 가치관을 가졌기 때문이었다.

그가 인간이라도 모든 인간을 믿어도 된다는 이야기는 아니었다. 미미르도 지금까지 인간이 저지른 만행을 들으며 자랐다. 그래서 불안을 느끼는 레니온의 마음도 이해했다.

"말해 봐, 아버지."

레니온이 레오우드를 재촉했다. 레오우드가 조용히 입술을 떨었다.

"현 국왕이 통치하는 나라와 손을 잡을 마음은 추호도 없다."
"그럴 줄 알았어."
레니온이 살짝 기뻐했다.
"하지만— 나라가 변하면 교섭의 여지는 생길지도 모르지."
"……뭐?! 아, 아버지, 그게 무슨 소리야!"
완전히 안도한 레니온은 생각지도 않은 발언에 무심코 고함쳤다.
"끝까지 들어라."
"으…… 이, 이유가 뭐야?"
"지금 루돌프 국왕이 통일한 국가는 믿을 수 없다. 거짓으로 점철된 나라니까. 동맹을 맺어도 언제 등에 칼을 꽂을지 모르지."
"그, 그럼 생각할 가치도……."
"사람이 변하면 나라도 변한다."
그 말을 한 인물을 보고 모두 눈을 크게 떴다. 그건 레오우드가 아니었다. 사람들은 가만히 발언자— 렉글루스를 바라봤다.
"설명해 봐라, 렉글루스."
그에게 레오우드가 설명을 요구했다.
"예. 사람이 변하면 나라가 변합니다. 레니온, 이해하겠어?"
묵묵부답인 레니온을 힐끗 보고 렉글루스는 계속 설명했다.
"지금 국왕은 미숙한 내가 봐도 암군이야. 용사 소환, 회담 파기도 문제지만, 그는 아마…… 선대 마왕과 내통했을 거야."

"뭐?!"

"오호, 눈치챘었나? 렉글루스."

"예. 그러지 않고서는 회담 파기부터 전쟁에 이르는 경위를 설명할 길이 없습니다. 아마 선대 마왕은 사전에 모종의 수단으로 루돌프 왕과 거래해 계획을 세웠습니다. 우리도 거기에 편승했지만, 언제든 우리를 배신할 수 있게 행동한 것으로 보입니다."

모두 놀라는 반면, 레오우드는 감탄한 듯 조용히 탄성을 흘렸다.

"뭔가 꿍꿍이가 있다고 생각해서 우리도 동맹보다는 일시 휴전을 할 요량으로 『인간족』과 약정을 맺었죠. 서로 필요 이상으로 간섭하지 않겠다는 약정을."

잠깐의 침묵 뒤, 레오우드가 「그래서?」라며 다음 말을 재촉했다.

"루돌프 왕은 처음부터 우리와 동맹을 맺을 생각 따위 없었던 것처럼 싱겁게 동의했어요. 루돌프 왕은 회담 장소에서 마왕을 죽일 생각밖에 하지 않았겠죠. 진정으로 나라를 생각한다면 형식상으로나마 동맹을 추천할 것이고, 가령 마왕을 죽인다손 치더라도 우리의 협력을 얻는 편이 효율적입니다. 그런데 그는 우리 요구에 일절 반론하지 않고 오로지 마왕을 죽인다는 일념으로 용사와 우리를 미끼로 삼아 【마국】으로 파견했어요. 그는 그때부터 이미…… 아니, 더 예전부터 왕이 아니었던 겁니다.”

모두 말없이 렉글루스의 이야기에 귀를 기울였다.

“아마 단순한 원한…… 개인적 원한으로 움직였다고밖에 생각할 수 없습니다. 아바마마가 적극적으로 동맹을 주장하지 않으신 것도 그러한 이유 때문이지 않습니까?”

“그래, 맞다. 하지만 그것도 좋은 기회라고 생각한 것도 사실이다. 이것으로 【하아스】를 함락할 수 있다고 계산하여 움직였지. 우리나 그들이나 단 한 명의 이레귤러 탓에 낭패를 당했지만.”

그건 물론 히이로였다.

“사사로운 원한으로 행동하는 국왕이 어떻게 나라를 더 나은 방향으로 이끌겠습니까? 백성을 안중에도 두지 않는 암군의 나라는 서서히 쇠망할 뿐이지요.”

“형, 그게 나라가 바뀌는 거랑 무슨 상관이야?”

“그래, 나라가 바뀌려면 사람이 바뀌는 수밖에 없어. 그렇지, 레니온?”

“……?”

“루돌프 왕이 아니라 더 자국을 사랑하고, 백성을 사랑하고, 평화를 사랑하는 자가 지도자가 되면 분명히 나라는 바뀌어.”

"그, 그래도 인간 중에 그런 녀석이 있기나 해?!"

"모른다."

대답한 사람은 레오우드였다.

"하지만 지금의 국정으로는 어림도 없다. 그야말로 기둥뿌리를 뽑아서 날려 버릴 만큼 힘 있는 자가 정상에 서지 않는 한 그 나라는 변하지 않겠지."

※

국왕 루돌프 반 슈트라우스 알크레이엄이 아직 돌아오지 않는 가운데, 【인간국 빅토리어스】에서는 왕족과 제후들이 향후 대책을 논의했지만 대부분은 무의미한 언쟁으로 끝났다.

회담 실패, 전쟁 패주, 국왕 실종…… 그 실책은 왕 본인의 죄라고 말하는 자, 왕 곁에 있던 자의 탓이라고 주장하거나 책임을 전가하려는 자, 그 책임을 괘씸하게도 돈으로 해결하려는 자, 이 기회에 자신이 권력을 잡으려는 자 등 하나같이 보신과 권력욕에 빠져 있었다.

하지만 왕의 공백으로 나라가 위기에 처한 지금, 언제 타국이 침공할지 알 수 없었다. 만약 권력을 잡았다가 패배했을 때의 책임을 생각하면 리더로 입후보하기는 꺼려졌다.

국민 사이에서도 온갖 억측과 소문이 난무해 불안이 퍼지고 있었다. 사정을 아는 병사는 언제 나라에 『마인족』이 보복하러 올지 몰라 공포에 떨었다. 혼란이 혼란을 부르고 국운이 크게 기울기 시작했다.

그때, 회의실의 문을 열고 한 사내가 들어왔다.

그자는 모든 이의 시선을 한 몸으로 받으면서도 당당한 태도를 유지했고, 실속 없는 말만 늘어놓고 행동하려고 하지 않는 자들에게 눈을 치켜뜨며 호통했다.

"언제까지 이따위 영양가 없는 공론이나 할 셈이냐!"

길드 마스터 쥬돔 란카스. 쥬돔은 이게 나라를 떠받치는 귀족이 할 짓이냐며 분노를 감추지 않았다.

"무, 무례하다!"

"지금은 대화가 필요한…… 잠깐, 너는 쥬돔 란카스인가?"

귀족들이 쥬돔의 존재를 깨닫고 굳어 버렸다.

"네 이놈, 국왕 폐하는 어쩌고 여기 있나! 네놈이 있으면서 왜 폐하를 모셔오지 못한 거냐!"

"그, 그래, 맞아! 나라를 짊어진 길드 마스터라면 무엇보다 왕의 생명을 우선해야 하는 걸 잘 알 텐데!"

"이래서 싸움밖에 못 하는 무식한 것들은 안 돼!"

모두 입을 모아 비난에 가세했다. 하지만 쥬돔은 그런 말에는 화가 나지 않았다. 아니꼬운 것은 이런 상황이 되어서도 아직 남 탓을 하려는 그들의 태도였다.

눈을 부릅뜬 쥬돔은 오른발을 들어 바닥을 부술 기세로 내려찍었다.

—쿵. 바닥에서 파문 같은 충격이 퍼지고 방을 크게 흔들었다. 서 있던 자들 중 다릿심이 없는 사람은 그것만으로 다리에 힘이 풀려 풀썩 넘어졌다.

누가 「무, 무슨 짓을?!」이라고 외치는 소리가 들렸다.

"……묻겠다."

쥬돔은 그들을 똑바로 보며 말했다. 누구나 어안이 벙벙하여 쥬돔을 쳐다봤다.

"너희는 이 나라를 바로 세울 마음이 있나?"

"다, 당연하지!"

"그, 그래! 이 나라를 지탱하는 건 우리 같은 힘 있는 귀족이다!"

"이 회의가 왜 영양가가 없단 말이냐! 나라를 걱정해서 이렇게 대화하고 있거늘!"

저마다 할 말은 있나 보지만, 설득력은 눈곱만큼도 느껴지지 않았다.

"정보는 전해졌겠지? 국왕이 변모했다는 게."

그 말에 모두 입을 다물었다. 쥬돔은 침묵을 긍정으로 받아들였다.

"그럼 대신을 비롯해 주된 대장들도 현장에서 순직했다는 사실을 알 텐데? 지금 이 나라는 크게 기울었어. 너희는 그걸 바로잡으려고 대화하고 있다…… 그렇게 말했겠다?"

"그, 그렇다!"

"그럼 왜 아무런 지시도 안 내려! 병사들은 초조해서 어쩔 줄 모르고 국민들도 불안에 휩싸였어! 이런 상황이니까 너희가 솔선해서 일어나 사람들을 이끌어야 하잖아!"

거의 모든 사람이 쥬돔의 박력에 기가 죽어 눈을 이리저리 굴렸다.

"이런 코딱지만 한 방에서 구시렁대 봤자 뭐가 바뀐다는 거야! 나라를 짊어졌다는 긍지가 조금이라도 있으면 그 빼빼 마른 팔을 백성을 위해 쓰는 게 어떠냐!"

반박의 여지가 없는 말. 아무도 대꾸하지 못하고 이마로 땀만 흘리고 있었다.

"……안 봐도 뻔하군. 출세는 하고 싶은데 만약 자기 판단으로 실패하면 어쩌나 싶어 무서워서 발만 구르고 있었겠지?"

"그, 그럴 리가…… 없지 않나……."

목소리가 심하게 떨렸다. 정곡을 찔렸다고 인정한 것이나 마찬가지였다.

"높은 자리에 앉고 싶지만, 책임은 너무 무겁다. 그래서 누군가를 화살받이로 세우고 뒤에서 이득만 챙기려고 눈치만 보고 있다…… 아닌가?"

"무, 무례하다! 우리를 음해하는 데도 정도가 있지! 애초에 국가는 그렇게 쉽게 무너지지 않아! 그러니까 이런 논의도 중요한……."

"닥쳐, 이 겁쟁이들아!"

다시 바닥을 찍어 모두에게 충격을 전했다. 대부분은 비명을 지르며 테이블에 매달렸다.

"무엇보다 우선해야 할 건 국왕의 생명이라고 말했나? 그건 아니지! 정말로 지켜야 할 건 나라 그 자체다! 그리고 백성이 있어야 나라도 있는 법! 백성을 위해서 일하지 못하는 것들이 어디서 나라를 논해!"

쥬돔에게 반론하던 자가 그의 박력에 겁먹고 머리를 감싸며 뒤로 슬금슬금 물러났다.

"이 자리에서 정해라! 지금 이 나라의 정상에 서서 모든 국민에게 지시할 자는 손을 들어라!"

하지만 그곳에 있는 자들은 서로 견제하듯 눈치만 살폈다. 역시 솔선해서 왕의 대리인을 맡을 사람은 없어 보였다.

이런 국가적 위기 상황에서 지도자가 되었다가 나라를 지키지 못하면 그 책임을 지게 된다. 이들은 그게 무서운 것이다.

'……이게 이 녀석들의 한계인가…….'

정말로 슬퍼졌다. 언제부터 이 나라는 이렇게나 나약해졌을까. 미래의 희망보다 눈앞의 푼돈에만 목매는 자들뿐이다.

'루돌프…… 이게 네가 만든 나라의 현재다…….'

너무 달라져 버린 친구의 얼굴을 떠올리며 이를 갈았다.

테이블을 쾅 치자 다들 흠칫 몸을 떨었다.

"너희 마음은 충분히 전해졌다. 하나만 말하마. ……너희는 나라를 짊어질 자격이 없다!"

살기와도 같은 패기를 발산하며 위압했다.

"자신이 다치기 무서워하면 아무도 구할 수 없어! 소중한 건! 힘들고 아프다고 도망치면 지키지 못한다고!"

한 번 더 귀족들을 한 사람씩 돌아봤다.

"나라에 조금이라도 고마운 마음이 있다면 은혜를 갚는 셈 분발하겠다는 기백 정도는 보이란 말이다, 굼벵이들아!"

일개 평민의 신분으로 귀족에게 이렇게까지 말하는데 한 마디라도 반박할 패기도 느껴지지 않는 그들에게 분노를 넘어서 허탈함을 느꼈다.

"……그게 너희 대답이군?"

그런데도 아직 두리번대며 남의 눈치를 살피는 그들을 보고 한숨이 나왔다.

"……잘 알았다. 너희는 자기 집이나 지켜라. 너희 같은 머저리라도 제 가족 정도는 지키겠지. 그것도 못 한다면…… 너희는 사람도 아니야."

쥬돔이 말을 끝마침과 동시에 뒤에서 국군 제2 부대 대장인 웰 킴블이 등장했다. 그는 긴장한 표정으로 절도 있게 고개를 숙이고 말했다.

"왕비님의 전령으로서 여러분께 보고합니다."

무엇을 기대했는지, 몇몇 이들의 낯빛이 밝아졌다. 아마 왕비가 자신들을 옹호하리라고 생각했으리라.

"왕비님께서 말씀하셨습니다. 이 나라를 짊어지고 모두를 지휘할 사람은— 여기 있는 쥬돔 란카스 공이라고."

"뭐라고?!"

그곳에 있던 모든 사람이 귀를 의심해서 되물었다.

"나라의 전권을 쥬돔 공에게 맡긴다고 하십니다. 이것이 그 임명장입니다."

그러면서 웰은 손에 든 종이를 펼쳐 보여줬다. 거기에는 왕비의 사인도 있어서 이것이 현실이라고 파악한 권력자들이 새파랗게 질렸다.

"……사실은 나보다 더 적합한 사람이 여기 있었으면 했다만……."

아무리 능력이 있어도 쥬돔은 평민이다. 길드 마스터라는 직함이 있어도 해결할 수 없는 일도 있다. 그래서 믿을 수 있고 힘을 가진 귀족이 위에 서주기를 바랐다.

하지만 여기 있는 자에게 맡기려고 해도 전혀 믿음이 가지 않았다.

"슬프군. 너희도 처음에는 나라를 위해서, 백성을 위해서 힘쓰는 귀인이었을 텐데……."

얼굴에 그늘이 지지만, 곧 마음을 다잡고 발걸음을 돌렸다. 그리고 등 뒤에 있는 그들에게 마지막 말을 던졌다.

"나라를 위해서 전력을 다한다. 그게 내가 나라에 감사하는 법이다!"

회의장에 모인 자들은 방을 나가는 쥬돔을 묵묵히 바라볼 수밖에 없었다. 웰도 가볍게 머리를 숙이고 그곳을 떠났다.

그 후, 쥬돔은 믿을 수 있는 동료를 모아서 우선 나라 방어를 강화하기로 했다. 그리고 스스로 거리로 나가 국민에게 진실을 전했다.

본래 혼란을 피하려면 비밀로 해야 할지도 모르지만, 귀족들을 믿을 수 없는 이상 조금이라도 국민들에게 위기감을 주고 싶었다.

만약 위험이 다가오면 자신이 목숨을 걸고 지키겠다고 결심했지만, 혼자서 전부 지킬 수 있다고 자만하지는 않았다. 그래서 국민들도 스스로 할 수 있는 일은 해주기를 바랐다.

자신은 국민들이 못 하는 일을 한다. 그것은 그들의 불안을 조금이라도 덜어내기 위해 이끌어주는 것. 성에 틀어박혀 지시만 내리지 않고, 이렇게 얼굴을 보여주며 지시하는 것이 중요하다고 생각했다.

국민들도 그런 쥬돔의 자세에 처음에는 당황했으나, 서서히 믿음을 갖게 되었다. 생각해 보면 쥬돔은 이런 유사시에는 언제나 전선에 서서 사람들의 이정표가 되어 줬다. 그래서 쥬돔이라면 믿을 수 있다고 다들 느낀 것이다.

그리고 병사들도 그 훌륭한 통솔력에 감탄하고 웰과 함께 쥬돔의 기대에 부응하려고 행동했다.

'루돌프…… 네가 무슨 생각을 하는지 모르지만, 나는 내가 할 수 있는 일을 하겠다!'

쥬돔은 결의를 담은 눈으로 똑바로 하늘을 쳐다보고 있었다.

※

어두운 동굴인데도 기이한 푸른빛이 주위를 비추고 있었다. 광원은 네 개의 푸른 거석, 크리스털. 식물 뿌리 같은 것이 얽힌 그 돌이 동굴 안을 푸르게 비추었다.

입구에서 똑바로 간 곳에 계단이 있고, 그 위에는 왕좌가 있었다. 동굴이라고는 생각할 수 없는 이색적인 분위기였다.

그 왕좌에 앉은 수려한 미모의 소년이 뭔가 생각난 것처럼 일어서자 옆에 대기하던 백발 여성이 물었다.

"아보로스 폐하, 무슨 일이십니까?"

소년은 아보로스라고 하며 선대 마왕이라는 직함을 가졌다. 현재 마왕인 이베엄의 오빠고, 그녀와는 얼마 전 결투에서 만났다.

"응. 잠깐 나갔다 올게, 05호."

여성의 식별 이름은 발키리아며, 아보로스는 05호라고 불렀다.

"동행이 필요하십니까?"

"됐어. 그래도 전이할 테니까 이슈카를 데리고 갈게."

"알겠습니다. 조심히 다녀오십시오."

“걱정하지 마. 그리운…… 아주 그리운 친구를 만나러 갈 뿐이니까.”

05호가 공손하게 머리를 숙이자 아보로스는 대답 대신 한 손을 들며 그곳을 떠났다.

—【인간국 빅토리어스】. 『인간족』이 사는 인간계의 유일한 국가.

그곳 거주구의 어딘가, 다른 곳에서 가린 구석진 곳에 오두막 같은 집이 덩그러니 있었다. 결코 자발적으로 살고 싶지 않을 만큼 작고 오래된 건물이었다.

주위에도 풀이 무성해 몇 년이나 손보지 않은 것은 일목요연했다. 그런 폐허 같은 오두막에 한 노파가 살고 있었다.

그녀는 큰 거리에서 언제나 점쟁이 일을 마치면 음식을 사서 오두막으로 돌아왔다. 그리고 홀로 조용한 시간을 보내는데…….

평소처럼 사 온 빵을 식기에 놓고 잔에 우유를 담아 삐걱대는 의자에 앉은 순간.

—이런 곳에 있었어?

불시에 들린 어린아이처럼 높은 목소리에 화들짝 놀라 돌아봤다.

그곳에는 목소리에 걸맞게 어린 소년이 서 있었다. 어느 틈에…… 아니, 그보다 노파는 이 중대한 사태에 할 말을 잃고 눈을 휘둥그렇게 떴다.

그런 노파의 반응을 즐기는 것처럼 소년은 아름다운 미소를 짓고 입을 움직였다.

"오래 찾았어. 설마 인간왕의 본거지에 있을 줄은 몰랐지."

노파는 눈꺼풀을 얕게 감고 가볍게 한숨을 쉬었다. 각오를 다지고 조용히 눈을 떠서 말을 짜냈다.

"용케 이곳을 알았구먼…… 아보로스."

그가 선대 마왕 아보로스임은 알고 있었다. 싫어도 알 수 있었다. 그리고 이곳에 온 목적도 대강 짐작됐다.

노파는 마음이 진정된 지금에야 아보로스의 뒤를 따르는 검은 로브의 존재를 깨달았다.

"그게 지금 네 말이냐?"

부하라고는 하지 않았다. 이 남자가 사람을 장기 말로만 여긴다는 사실을 뻔히 알기에. 그러자 그는 즐거워하며 웃었다.

"소개할까?"

신물이 날 정도로 수상한 그 웃음. 더는 보고 싶지 않았지만, 여기서 붙잡혔다면 무턱대고 움직이지 않는 편이 신상에 이롭다고 노파는 생각했다.

"됐네. 그런 것보다 무슨 일로 왔는지 말하는 게 어떤가?"

"후후후, 여전히 참을성이 없구나? 이렇게 오랜만에 만났잖아. 추억을 곱씹으며 이야기꽃을 피우고 싶지는 않아?"

"그런 이야기를 하러 왔나?"

"……쳇, 사람이 유머가 없어서 탈이야."

아보로스는 보란 듯이 어깨를 으쓱이고 한숨 쉬었다. 그리고 한 번 더 확인하듯 주위를 돌아봤다.

"그나저나 《선견(先見)》의 알리샤라고도 불렸던 위인이 설마 이런 추레한 곳에 숨어 지내다니……."

"그렇게 부르지 말게. 더는 안 쓰는 이름이니."

"……그래? 그렇지. 지금은 이런 이름을 쓴다지— 마퀴스 블루노트."

"……."

"그런데 네가 쓴 책, **그건 뭐야**? 짐도 일단 읽어는 봤는데…… 장난치는 거야?"

그때까지 느끼지 못했던 살기가 마치 바늘처럼 온몸을 찔렀다. 무심결에 침을 삼키고 이마에서 식은땀을 흘리지만, 문득 살기가 멎었다.

"아차, 미안미안. 나도 모르게……. 그렇지만 그 책은 너무하잖아. 마치 주인공을 무시하는 듯한 묘사야."

"……."

"네가 무슨 생각으로 그걸 썼는지 모르지만, 그거 말고도 이것저것 썼지? 언제부터 너는 제삼자가 된 거야? **그 일**을 아는 생존자면서."

아보로스의 눈이 가늘어졌다. 마치 먹잇감을 몰아세우고 이제 사냥하기만 하면 끝이라는 의지가 전해지는 기분이었다.

"……딱히 제삼자인 척하지는 않았네. 그 일을 알기 때문에 펜을 들었을 뿐이지."

"흐음, 무슨 의도로?"

"내가 말할 것 같나?"

"네가 안 하면 어쩔 건데?"

또 아보로스에게서 숨 막히는 살기가 날아왔다. 저절로 다리에 힘이 풀릴 뻔했지만, 지지 않으려고 발에 단단히 힘을 줬다.

잠시 살 떨리는 눈싸움이 계속된 뒤, 아보로스는 기가 막힌다고 고개를 절레절레 저었다.

"이거 참, 고집은 예나 지금이나 똑같네."

"그건 내가 할 말이야. 이런 늙은이를 마압(魔壓)으로 겁박하려고 하다니."

"아하하! 무슨 소리야! 겉모습만 노파면서. 언제까지 그런 추한 꼴로 있을 거야? 그리고 그 말투도. 이제 와서 민낯을 보여주려니까 부끄러워?"

마퀴스는 빤히 아보로스를 바라보고는 단념하고 눈을 감았다. 그리고 옷에서 어떤 물건을 꺼내서 입 안에 넣었다.

그러자 놀랍게도 자글자글하던 살가죽이 윤기 있는 젊은

피부로 변화했다.

백발이었던 머리카락도 생기를 되찾은 것처럼 아름다운 암청색으로 변했다. 굽었던 허리도 똑바로 펴지고 키까지 달라졌다.

그렇게 나타난 사람은— 몸매가 아름다운 젊은 여성이었다.

회춘이라는 한마디로는 표현할 수 없는 변모였다. 조금 전 노파였던 모습에서는 상상도 할 수 없는 미모와 젊음을 겸비한 포니테일 미녀가 탄생했다.

그런 마퀴스를 만족스럽게 보던 아보로스가 짝짝 손뼉을 쳤다.

"좋아, 좋아. 역시 너는 그 모습이지. 잘 어울려."

"……."

"이래야 한때 그 녀석과 짐이 눈여겨본 여성이라고 할 만해."

"……미리 말하지만, 청혼은 안 받아."

맑은 미성이 실내에 울렸다.

"에이, 이제 와서 그러지는 않아. 아무리 외모가 젊어도 너는 이제 할머니니까. 짐은 젊은 아이가 좋아."

"어머, 여성에게 할머니라고 말하는 사람이 젊은 애한테 사랑받을 줄 알아?"

"음~ 이래 봬도 제법 인기가 있거든. 너도 알지?"

"너야말로 겉모습만 번지르르하잖아, 이 성격 파탄자."

"아하하! 아픈 곳을 찌르는걸~."

아보로스는 외모만 보면 남녀노소를 끌어당기는 매력의 소유자다. 하지만 성격은 꼬일 대로 꼬였다.

"그럼 마퀴스…… 용건을 전달할까? 짐과 함께 가자."

"싫어."

"아하하! 거절할 줄은 알았지만, 생각하는 척이라도 해주길 바랐는데."

"설령 죽는다고 해도 너랑 함께할 수는 없어. 이 말은 옛날에도 했지?"

"……."

"네가 **그 소원**을 이루고 싶다고 말하는 한, 나는 너에게 찬동 못 해."

마퀴스는 단호한 표정으로 딱 잘라 말했다.

아보로스는 웃음을 거두고 진지하게 입을 열었다.

"절대로 안 돼?"

"그래, 절대로."

"너는 받아들일 수 있어? 이런 세계라도……. 너도 피해자일 텐데."

"두 번 다시 비극을 반복하고 싶지 않아."

"그래……."

마퀴스의 결의를 느꼈는지, 아보로스는 짧게 대답하고 얼굴에 살짝 그늘을 드리웠다.

"나는 나대로 할 수 있는 일을 할래. 그게…… 속죄이기도 하니까.”

“…………여기서 죽는다고 해도……?”

“그래. 네가 날 죽인다고 해도.”

“그럼 이 나라 모든 생명을 저울에 올린다면?”

이곳에 있는 국민 전원이 인질이라며, 아보로스는 냉혹하게 웃음 지었다. 하지만 마퀴스는 조금도 흔들리는 모습을 보이지 않았다.

“그래도 안 돼.”

의지는 굳건했다.

“…………후우.”

무슨 생각인지 아보로스가 갑자기 돌아서서 방을 나가려고 했다. 정말로 국민을 학살하려는 걸까? 마퀴스의 얼굴이 굳어 가는데…….

“……지금부터 전쟁을 시작할 거야.”

“……응?”

우뚝 멈춘 아보로스가 무슨 말을 하는지 이해되지 않아서 마퀴스는 어리둥절하게 한쪽 눈을 찌푸렸다.

“전 세계가 말려드는 전쟁이야.”

“너, 너는 역시 아직……!”

아보로스는 등을 돌린 채 말했다.

“기억해 둬, 마퀴스…… 아니, 알리샤.”

“……?”

"세계는 반드시 짐이 손에 넣어."

그리고 다시 발을 떼려다가 말고 또 말을 이었다.

"너를 여기서 죽여도 되겠지만, 그 전에 잘못을 정정해 줬으면 해. 짐이 옳았다고 말이야. 그러니까 마지막까지 너를 살려 두기로 할게."

그러고는 얼굴만 살짝 마퀴스 쪽으로 돌렸다.

"잘 있어, 알리샤. 오랜만에 만나서 반가웠어. 좋은 만남이었는지 어떤지는 별개로."

"아로스……."

"그 이름으로 부르지 마. ……너에게 정답을 보여줄게. 기대하고 기다려."

그 말을 끝으로 아보로스는 검은 로브의 발치에 출현한 물웅덩이로 잠겨 사라졌다.

정적만이 존재하는 그곳에서 마퀴스는 둑이 무너지듯 밀려온 피로감에 맥이 탁 풀렸다.

휘청거리며 의자에 앉았다. 온몸이 식은땀으로 흠뻑 젖어 있었다. 이렇게 긴장한 것은 오랜만이었다.

우유를 단숨에 들이켜서 목을 축였다.

"아로스…… 네 방식으로는 안 돼…… 이 세계는……."

하지만 그 마음은 누구에게도 전해지지 않았다.

※

—【마국 하아스】, 오카무라 히이로는 저녁이 되어 식당을 찾으려고 도시를 거닐고 있었다.

그 옆에는 만두 머리가 특징인 제자 닛키와 『아수라 족』 족장이며 언제나 흰 목도리를 감고 다니는 카뮤가 있었다.

카뮤는 저번 결투가 끝나고 히이로가 아보로스의 동료에게 죽을 뻔한 위기일발의 상황에 달려와 구해줬다. 그때부터 꼭 공주를 지키는 기사처럼 쭉 곁을 따라다니고 있었다.

'어디 보자, 뭘 먹을까.'

세 사람은 노을빛으로 물든 하늘 아래를 느긋하게 걷고 있었으나 그게 히이로의 실수였다. 자신이 이 나라에서 어떤 취급을 받는지, 아직 제대로 자각하지 못한 탓이었다.

"앗, 영웅님이다!"

"정말로?!"

"저게 히이로 님인가! 캬, 진짜 존경스러워~!"

거리로 나가자 여기저기서 지목당하고 환성이 터져 나왔다.

"오오~ 역시 스승님입니다! 애제자로서 어깨에 힘이 들어갑니다! 에헴!"

"히이로…… 인기 많아."

닛키는 자기 스승의 인기를 자랑스러워하고, 카뮤는 여전히 무표정이었다.

이대로 가면 성가실 정도로 국민이 모여들 것 같았다. 히이로는 하는 수 없이 닛키의 목덜미를 잡았다.

"일단 사람이 없는 곳으로 간다!"

"으엑…… 수…… 숨마킵니드아아…… 켁?!"

"……알았어."

닛키는 목이 졸려 얼굴이 흙빛이 됐지만, 히이로는 그러거나 말거나 그곳을 질주해 빠져나왔다.

그리고 아무도 없는 골목으로 들어와 숨을 돌렸다.

'나 원, 앞으로 돌아다니기도 귀찮겠군.'

설마 거리를 활보하는 것이 이리도 문제가 될 줄은 몰랐다.

"어쨌든 소란이 일어나지 않게 조심해서 움직일까. 그럼 밥집 찾으러 가자."

골목에서 얼굴을 내밀어 보자 대부분의 사람이 히이로를 찾는 것 같았다. 그들 딴에는 영웅이 거리를 돌아다니니까 인사라도 하고 싶었겠지.

'거의 아이돌을 발견한 오타쿠 집단 같군……'

저 많은 인간이 몰려온다고 생각하니 진절머리가 났다.

'어쩔 수 없지. 모습을 바꿀까.'

그렇게 판단하고 적은 문자의 의미를 현상으로 바꾸는 힘—《문자마법》을 사용하기로 했다.

검지 끝에 푸르스름한 빛이 들어오고 손가락을 움직인 궤적을 따라서 문자를 이루었다. 그것은 『변화(變化)』라는 한

자였다. 마법을 발동한 뒤, 히이로의 몸이 뿌옇게 빛나더니 모습이 변했다.

평소 입던 붉은 로브는 국민이 많이 입는 소박하고 눈에 띄지 않는 옷이 되고, 머리에는 모자를 썼다.

"오오~! 스승님 멋지십니다!"

"히이로…… 잘 어울려."

닛키와 카뮤에게서도 극찬을 받았다.

이제야 겨우 느긋하게 돌아다닐 수 있겠다고 생각해 주위를 살피며 걸었다. 눈치챈 사람은 없어 보였다. 그러다가 눈길을 끄는 가게를 발견했다.

그곳은 지구에서 말하는 정크 푸드를 파는 가게였다.

―《둥실 구이》라고 적혀 있었다.

어떤 먹음직하고 좋은 향이 떠돌아서 발이 자연스럽게 그쪽으로 향했다.

들여다보니 타코야키 같은 둥근 물체가 풍선처럼 실을 드리우고 둥실둥실 떠 있었다.

"이건 뭐야?"

히이로의 질문에 가게 주인은 손님이 온 줄 알고 얼씨구나 하며 손뼉을 짝 치고 웃음 지었다.

"오, 어서 오십쇼! 【하아스】 명물 《둥실 구이》 하나 어때?"

아저씨가 활기 넘치는 목소리로 크게 반겨줬다.

"명물? 맛있어?"

"그걸 말이라고! 이 《둥실 구이》는 《둥실 민들레》라는 꽃을 기름에 튀긴 거야. 물론 여기 뿌린 내 비밀 소스는 맛이 끝내줘!"

"오호, 하나만 사볼……."

그때 누가 뒤에서 옷을 꾹꾹 당겼다. 돌아보니 카뮤와 닛키가 주인을 보채는 개처럼 눈망울을 초롱초롱 빛냈다. 아무래도 먹고 싶은 모양이다.

"……아저씨, 세 개…… 아니, 여섯 개 줘."

어차피 한 사람당 두 개 정도는 거뜬히 먹을 것이다.

히이로는 돈을 주고 《둥실 구이》를 받았다.

실을 잡으니까 둥둥 뜨는 모습이 영락없는 풍선이었다.

"아, 참고로 실도 사탕이니까 먹어도 돼!"

재미있다고 생각하며 깨작깨작 먹을 크기도 아니라서 한 입에 쏙 넣었다.

바삭한 튀김옷에서 고급스러운 꽃향기가 퍼졌다. 심지어 안에서는 달콤한 꿀이 주르륵 흘러나왔다.

'이거 맛있는데……. 아이들에게 인기가 있겠어.'

닛키를 보자 역시나 상기된 볼로 맛있게 우물거리고 있었다. 그것도 두 개를 한 번에 입에 넣고.

"어린애군. ……너도냐, 흰 머플러?!"

"으븝?"

놀랍게도 여기에도 어린애가 있었다. 닛키와 똑같이 두 개를 입에 넣은 카뮤였다.

'사, 상관없지. 맛있기는 하니까.'

맛있는 음식과 책에 환장하는 히이로도 만족할 먹거리였다.

그리고 남은 하나를 먹으려고 입을 벌린 순간— 샤샥!

갑자기 눈앞으로 그림자가 지나가더니 오른손에 들었던 《둥실 구이》가 사라졌다.

"아앗?!"

이게 무슨 낭패인가 싶어 돌아보자 건물 위에 범인이 있었다. 샛노란 털로 덮인 새끼 원숭이 같은 생물이 방금 히이로에게서 뺏은 《둥실 구이》를 손에 들고 있었다.

"……우끼?"

심술궂게 씨익 웃어 보인 원숭이를 보고 히이로의 이마가 핏줄로 뒤덮이고 말았다. 원숭이는 메~롱 하고 도발하고는 그곳에서 사라졌다.

"스, 스승님……?"

"히, 히이로……?"

두 사람은 눈에 보일 정도로 분노의 오라가 피어오르는 히이로에게서 거리를 두면서 겁먹은 듯 말을 걸지만…….

"…………후후후후후후후."

암흑 속에서 웃음을 흘리는 히이로를, 두 사람은 마른침을 삼키며 긴장한 표정으로 바라봤다.

"배짱 좋군, 도둑 원숭이. 내 즐거움을 빼앗아간 답례를 해줘야지. 해줘야 하고말고."

히이로는 땅을 박차고 곧장 원숭이를 쫓았다.

남겨진 닛키와 카뮤는 어리벙벙하게 그 뒷모습을 바라볼 수밖에 없었다.

"쳇, 그 도둑 원숭이 자식! 도망칠 수 있다고 생각하나!"

정신없이 새끼 원숭이를 쫓던 히이로는 어느샌가 나라 밖으로 나와 있었다.

앞뒤 생각하지 않고 『탐색(探索)』 문자를 사용했다. 눈앞에 나타난 푸르스름한 화살표가 한 나무를 가리켰다. 이것이 『탐색』의 효과. 나뭇가지에 새끼 원숭이가 앉아 있었고…….

"……우끼?"

묘한 비웃음을 짓고 있었다.

"큿…… 후후후, 각오해라, 꼬마 짐승. 먹이사슬의 무서움을…… 응?"

원숭이가 왠지 히이로를 향해 풀쩍 뛰어내렸다.

"바보인가? 하지만 잘 됐지!"

순식간에 『포박(捕縛)』 문자를 써서 떨어지는 원숭이에게 총알처럼 날렸다.

문자는 그대로 목표에게 부딪치고— 챙!

돌연 문자가 튕겨 나가 흩어져 버렸다.

"뭐, 뭐야?!"

하지만 놀란 것도 한순간뿐. 원숭이가 얼굴에 올라타서 날카로운 손톱으로 히이로의 볼을 할퀴고 얼굴을 발판으로 백 텀블링을 해 자연스럽게 땅에 착지했다.

"아야야……."

할퀸 부분이 따가워서 반사적으로 손으로 만졌고, 그때 처음 깨달았다. ―안경이 없다.

얼굴을 홱 들어서 원숭이를 보니 어느새 그 작은 머리 위에 안경을 올려 히죽 웃고 있었다. 그리고 히이로의 정신에 추가타를 먹이려는 양 지금까지 들고 있던 《둥실 구이》를 한 입에 꿀꺽 먹어 버렸다.

"……?! …………후후후후후, 그래…… 그렇게 나온다 이거지……."

이 새끼 원숭이에게는 잔소리뿐 아니라 벌도 줘야 할 듯했다. 그것도 아주 따끔하게.

"기필코 노릇하게 구워주마!"

히이로의 기백에 새끼 원숭이가 어깨를 흠칫 떨었다. 진심으로 화를 돋웠음을 알았겠지. 경계하듯 등을 보이지 않으면서 슬금슬금 뒤로 빠졌다.

"어딜 가려고."

이미 히이로의 머리에는 원숭이를 잡고 말겠다는 생각밖에 없었다.

『전기(電氣)』와 『견고(堅固)』.

원숭이의 아래에서 전기로 된 감옥이 출현해 곧바로 대상을 사로잡았다.

"그 전기에 닿기만 해 봐. 순식간에 원숭이 통구이가 될 테니까."

그러면 안경도 숯덩이가 되겠지만, 이미 안경에 관해서는 잊은 지 오래였다. 그런데 새끼 원숭이는 몸을 빙글 돌리며 회전력을 실어 꼬리로 전기에 닿자— 챙!

또다. 또 허무하게 마법이 튕겨 나가듯 사라졌다.

"……그렇군."

히이로는 입을 굳게 일자로 다물고 이번에는 『針(침)』이라는 문자를 썼다.

바닥으로 날리자 땅에서 새끼 원숭이를 향해 선인장처럼 날카로운 흙 가시가 차례대로 돋아났다.

'이 정도라면 피할 수 있겠지?'

왠지 그런 확신이 들었다. 생각대로 새끼 원숭이는 조금도 당황하지 않고 날렵하게 피하며 하늘로 뛰어올랐다.

"역시 피했군. 그럼 이걸로!"

『대지(大地)』와 『감옥(監獄)』.

이번에는 『전기(電氣)』에서 『대지(大地)』로 문자를 바꿨다.

땅바닥이 갑자기 솟아나서 공중에 뜬 새끼 원숭이를 감싸듯 포박했다. 그때가 되어서야 새끼 원숭이도 당황하는 기색을 보였다.

작게 울면서 둥근 감옥 안을 왔다갔다 했다.

"……뭐 해? 좀 전처럼 안 없애고?"

"끼끽?!"

"못 하겠지. 네가 없앨 수 있는 건 무에서 유를 만들어 내는 마법뿐이고—."

뒷말을 하려던 때, 갑자기 새끼 원숭이 근처 공간에 균열이 생겼다. 무심코 최대한 경계심을 끌어올렸다.

무슨 일이 일어나는지 빤히 바라보는데 공간의 균열 너머로 보이는 어둠에서 스르륵 나타난 것은— 새하얀 뱀이었다.

'뭐야……? 원숭이 다음은 뱀?'

무슨 동물원인가 싶어 의아하게 생각하는데 다음에는 더 놀라운 광경이 눈에 들어왔다.

"그러니까 하지 말라고 했잖니. 할아버지는 정중히 모시라고 하셨잖아."

귀를 의심했지만, 틀림없이 뱀이 말했다. 심지어 원숭이에게. 더군다나—.

"그치만 놀려먹기 좋게 생겼잖아~."

…………원숭이까지 말했다.

여기가 동화책 속인가 하는 생각도 들었지만, 이곳은 수인도 버젓이 돌아다니는 이세계였다. 이런 상황도 있으리라고 예상은 했지만, 아무래도 처음 겪는 일인지라 말문이 막혔다.

"거기 당신, 이 바보 원숭이가 무례하게 행동했지? 내가 대신 사과할게."

뱀이 꾸벅 머리를 숙였다.

"바, 바보라고……?"

새끼 원숭이가 입을 실룩거렸다.

"자, 너도 사과해."

"내가 왜~?"

"……할아버지한테 이른다?"

"제가 큰 실수를 저질렀습니다. 죄송합니다."

새끼 원숭이가 허리를 쭉 펴고는 깍듯이 머리를 숙여 사과했다. 그 할아버지란 자가 그리도 무서운 걸까.

"이 바보 원숭이도 반성하고 있으니까 일단 화를 거두어 주지 않을래?"

화는 무의식중에 잊어버린 지 옛날이었다. 지금은 이 신기한 상황을 파악하기도 바빴다.

"……역시 너…… 아니, 너희는— 정령이었나."

그 말에 뱀은 감탄한 듯 눈이 살짝 커졌다. 그리고 곧바로 눈을 찌푸리며 빤히 관찰하듯 바라봤다.

"흐응, 역시 님니아호 님이 인정할 만해."

"……뭐?"

말이 자연스럽게 나왔다. 지금 흘려들을 수 없는 말이 들렸다. 님니아호, 그건 전에 만난 요정 여왕의 이름이었다.

전에 수인계에 발을 들였을 때, 밤중에 언덕 위에서 노는 요정을 발견한 적이 있었다. 그때 요정들도 히이로를 발견했고 어쩌다가 요정이 사는 【페어리 가든】으로 가게 됐다. 거기서 님니아호를 만나서 잠시 잡담을 나누었다.

"결례인 줄 알지만 부탁이 있어. 괜찮을까?"

"……싫어."

"왜, 왜 듣지도 않고!"

새끼 원숭이가 당연하다는 듯 거절한 히이로에게 의문을 표했다.

"너희도 어차피 요정들처럼 이상한 세계로 끌고 갈 생각이겠지만, 나도 할 일이 있고 이런 곳까지 끌려 나와서 짜증도 나. 그리고 빨리 안경이나 내놔, 도둑 원숭이."

새끼 원숭이에게, 정확하게는 흙 감옥으로 『환원(還元)』 문자를 날리자 감옥이 무너져 땅으로 돌아갔다.

"우끼?!"

흔들리는 발판 때문에 당황한 새끼 원숭이가 감옥에 커다란 틈이 벌어진 순간 그곳에서 점프해 땅에 발을 붙였다.

히이로는 새끼 원숭이 앞으로 가서 손을 내밀었다. 안경을 내놓으라는 뜻이었다.

새끼 원숭이도 입을 삐죽 내밀면서 떨떠름하게 건네는데—

딱!

"끼긱?! 무, 무슨 짓이야?!"

히이로는 안경을 받자마자 그 조그만 머리에 꿀밤을 먹였다.

"이렇게 여리고 귀여운 정령에게 폭력을 행사해? 이거 정령 학대야~!"

새끼 원숭이는 아픈 머리를 양손으로 잡고 히이로에게서 거리를 뒀다.

"닥쳐. 너 때문에 기껏 산 《둥실 구이》도 못 먹었고 귀찮은 일에도 말려들었어. 이 정도로 끝난 걸 고맙게 생각해. 원래대로면 구워 먹었어."

그 말을 듣고 새끼 원숭이의 안색이 새파랗게 질렸다.

"이제 끝났어?"

그런 둘을 태연하게 바라보던 뱀이 한숨을 쉬며 물었다.

히이로도 지긋지긋하다는 눈으로 뱀을 돌아봤다.

"그 바보 원숭이는 이따가 따끔하게 혼낼 테니까 부탁을 들어줄 수 없을까?"

"싫다고 했잖아. 이 뱀놈도 말귀를 못 알아먹는군."

"어머, 놈은 아니지. 이래 봬도 나 여자야."

"흠, 정령에도 성별이 있나? 교배도 안 하고 자손도 남기지 않는 존재라고 책으로 배웠다만?"

"어머, 그건 사람들이 자의적으로 해석한 특성이야. 정령에게도 성별은 있어. 물론 나 같은 고위 정령뿐이지만. 게다가 마음먹으면 자손도 남길 수 있어."

자손을 남긴다는 사실에는 솔직히 놀랐다. 책에 적힌 사실이 전부 옳다고는 생각하지 않았지만, 당사자에게 듣는 정보라면 의심할 여지가 없겠지.

"아, 참고로 나는 남자라구!"

원숭이가 아무 관심도 없는 정보를 떠들었다. 하지만 이런 곳에 고위 정령이 나타날 줄이야……. 또 귀찮은 일이 벌어질 예감이 든다.

"너희 성별이 뭐든 상관없어. 야, 백사. 네가 뭐라고 하건 나는 지금부터 저녁 시간이야. 그걸 방해하면 너희 두 마리 다 당분간 감옥에 가둬 버릴 줄 알아."

양손 검지를 세우고 협박하지만, 뱀은 표정 하나 바꾸지 않았다. 원숭이는 경계해서 한 발짝 물러났지만 말이다.

"어머, 배고파? 그럼 마침 잘됐네. 우리도 환영 준비를 시켜 뒀거든."

"……환영?"

"그래. 예상하다시피 너를 우리가 사는 곳으로 초대하고 싶어."

"……역시나."

아직 공간이 열린 상태로 있어서 아마 요정을 만났을 때와 마찬가지로 저곳으로 들어가야 하겠지.

"만족스러울지는 모르지만, 일단 환대할 준비는 하고 있어. 맛있는 음식을 차려서 말이야."

"……환대? 맛있는 음식?"

그 말이 심금을 울렸다.

"맞아. 저쪽에만 존재하는 음식도 있는데…… 어때?"

의미심장한 웃음을 짓고 시험하듯 물었다. 그녀의 의도대로 움직이는 것은 불쾌하지만, 정령의 환대가 어떤 것인지도 궁금했다. 맛있는 요리가 있다면 꼭 먹어 보고 싶었다.

그래도 지금쯤 닛키와 카뮤가 자신을 찾아다닐 것 같았다. 이대로 사라졌다가는 나중에 귀찮은 일이 벌어질 가능성이 농후했다.

만약 닛키와 카뮤가 히이로가 사라졌다는 사실을 마왕 이베엄에게 말하면 어떻게 될까……. 나라가 발칵 뒤집혀서 수색 작전이 펼쳐질까 봐 벌써 머리가 아팠다.

"……따라가 줄 수도 있어."

"그래? 그럼 바로……."

"단, 조건이 있어."

"……뭐야?"

"일행이 두 명 있어. 그 녀석들도 데리고 가. 그러면 가주지."

서로 눈을 쳐다본 상태로 시간이 흘렀다. 하지만 히이로가 절대로 양보하지 않는다는 것을 깨달았는지, 뱀은 또 크게 한숨 쉬며 말했다.

"……알았어. 데리고 와."

승낙을 얻고 《문자마법》으로 닛키와 카뮤를 찾아서 이곳으로 안내했다. 두 사람은 말하는 동물에게 큰 관심을 보이며 눈을 초롱초롱 빛냈다.

"그럼 간다? 그래도 이상한 짓은 하지 마. ……뭐, 너희라면 문제없겠지만."

뱀이 그렇게 말한 뒤 어둠이 펼쳐진 공간으로 들어갔다.

"출발해."

뒤에서 새끼 원숭이가 등을 밀었다. 히이로는 전에 같은 공간을 통과한 적이 있어서 별로 불안하지 않았지만, 닛키와 카뮤는 겁먹어서 슬그머니 발을 내디뎠다.

하지만 어두운 것은 들어가는 한순간뿐.

눈앞에 펼쳐진 광경을 보고 세 사람은 무심결에 감탄했다.

—환상적인 세계.

보석처럼 빛나는 입자가 눈처럼 내렸고, 새파란 하늘에 걸린 거대한 무지개는 마치 그 위로 걸어 다닐 수 있을 것만 같은 존재감을 자랑했다.

주위는 푸른 대지와 숲으로 둘러싸였고, 나무를 무성히 덮은 잎도 그 형태가 눈송이처럼 아름다웠다. 그곳은 그야말로 별천지였다. 감동으로 말문이 막히는 것도 자연스러운 반응이리라.

"환영할게. 이곳이 우리가 사는 곳—【스피릿 포레스트】야."

뱀의 안내를 받아 숲을 빠져나오자 이번에는 아름다운 호수가 보였다. 연꽃 같은 식물이 떠 있고 물이 투명해 바닥까지 똑똑히 들여다보였다.

단순한 호수가 아니라 이야기 속에 나오는 천계의 호수 같은 고귀한 인상을 받았다. 그리고 그 호수 중심을 향해 연잎으로 된 길이 이어졌고 그 앞에 제단 같은 것이 있었다. 큰 제단 위에는 크고 흰 물체가 보였다.

'저건 뭐지……?'

눈에 힘을 줘서 바라보지만, 여기서는 무엇인지 알아볼 수 없었다.

"따라와."

뱀은 그러면서 연잎 길을 따라갔다.

"가, 가라앉지 않을까요?"

닛키가 걱정하는 것도 이해할 수 있었다. 체중이 가벼운 뱀은 몰라도 사람을 지탱할 수 있다는 생각은 들지 않았다. 그런 생각을 알았는지, 뒤에 있는 원숭이가 말했다.

"걱정 마. 안 가라앉으니까."

하지만 히이로는 돌다리를 두들겨 보는 심정으로 연잎을 손으로 꾹 눌러 봤다. 정말로 가라앉지 않았다. 물 위라서 파문은 퍼지지만, 조금 부드러운 흙을 누르는 감각이었다.

세 사람은 그래도 조심조심 걸음을 옮겨 제단에 도착했다. 그리고 방금 본 흰 물체의 정체가 확실하게 눈에 들어왔다.

"호호호, 기다렸네, 『만능한 자』여."

그것은 경이로울 만큼 거대한 백사였다. 그 큰 몸으로 똬리를 틀고 있어서 멀리서는 생물이라고 인지조차 하지 못했다.

"우와아, 이것 참 크군요~."

"……커다래."

닛키와 카뮤도 저마다 감상을 소리 내어 말했다. 그 말대로 입을 벌리면 세 명을 한꺼번에 꿀꺽 삼켜 버릴 거구였다.

"잘 왔네. 그자들은 『만능한 자』의 동료인가?"

"맞아, 할아버지."

"호호호, 그렇구만."

기뻐하듯 입꼬리를 올리고 웃음소리를 내지만, 뱀이 먹잇감을 발견하고 히죽 웃는 것으로밖에 보이지 않았다. 닛키는 벌써 바짝 겁먹었다.

그래도 계속 이렇게 서 있을 수도 없다고 생각한 히이로는…….

"어이, 빨리 환대용 요리인지 뭔지나 내놔."

바로 음식부터 요구했다. 그 방자한 언행에는 뱀과 새끼 원숭이도 벌어진 입을 다물지 못했다. 하지만 거대 뱀만은 즐겁게 웃었다.

"호호호, 그리 서두르지 말게. 다 준비해 놨네. 저기를 보게."

가리킨 방향으로 눈을 돌리자 지나온 길과 정반대 편에 큰 탁자가 있었다. 게다가 위에는 음식으로 보이는 물체가 한 상 가득 차려져 있었다.

'흠, 빨리 맛보고 싶군.'

그렇게 생각하자마자 아무런 전조도 없이 거대 뱀의 몸이 빛나기 시작했다. 하지만 이내 잦아든 빛은 점차 작아지면서 인간의 형태를 취했다.

완전히 빛이 사라진 뒤, 조금 전까지 제단 위에 있던 거대 뱀은 모습을 감추고 백발에 풍성한 흰 수염이 난 노인이 그곳에 서 있었다.

"우선 자기소개를 할까? 나는 호오즈키라고 하네. 앞으로 잘 부탁하네."

긴 수염을 문지르며 얼굴에 주름을 잡고 웃었다. 닛키와 카뮤는 지금 상황이 어리둥절해서 눈만 깜박이고 있지만, 히이로는 물끄러미 관찰하는 눈빛으로 물었다.

"……그래서? 당신이 『정령왕』이야?"

히이로의 말을 듣고 상대방은 살며시 고개를 끄덕였다.

"흐음, 나이가 꽤 많군. 요정 여왕과는 생김새가 딴판이야."

"호호호, 이래 봬도 노구를 이끌고 역할에 힘쓰는 중이라네. 게다가 지금 『요정 여왕』은 여기 있는 히메와 비슷하게 아직 젊어."

"……히메?"

"나야."

일행을 이곳까지 안내한 작은 백사가 끼어들어 알려줬다.

'어른스러운 『요정 여왕』과 비교하면 이쪽은 땅딸보군.'

히이로가 굉장히 무례한 생각을 하는데…….

"……하고 싶은 말이 있어 보인다?"

"……글쎄."

역시 동물 모습이라서 감이 날카로운 걸까……. 의심스럽게 쳐다보지만, 태연하게 흘려 넘겼다.

"그보다 자기소개는 됐으니까 밥부터 줘. 이야기는 그다음에 해도 되잖아?"

"호호호, 그럼 일단 갈까?"

방금 본 탁자까지 오고 지금까지 눈치채지 못한 무언가가 눈에 들어왔다. 슬라임처럼 탱글탱글하고 알록달록한 물체가 여기저기에 있었다.

"뭐야, 이 쪼그만 건?"

"여기 있는 건 정령뿐이야."

"이것들이…… 정령?"

히메가 알려줬지만, 아무리 봐도 슬라임으로밖에 보이지 않았다. 손바닥 크기에 색상이 다양한 그것들이 무더기로 있었다. 잔뜩 끌어모아서 쿠션으로 쓰면 편할 것 같았다.

"이 아이들은 자연이 낳은 힘의 덩어리야. 막 태어난 햇병아리 정령이라고 해야겠지."

"예끼, 히메. 동포를 그렇게 말하면 쓰나."

"혼났데요~ 혼났데요~."

새끼 원숭이는 호오즈키에게 혼나서 시무룩한 히메가 우스웠는지 골려댔다. 하지만 히메는 순간 눈을 번뜩 빛내며 원숭이를 노려봤다.

"뭐? 싸우자는 거야? 죽고 싶어?"

"어…… 아…… 그, 그게…… 아무것도 아닙니다, 넵……."

얼마나 약하면 이렇게 찍소리도 못하나 싶어 기가 막혔다. 흡사 바람피우다 걸려서 아무 말도 못 하고 위축된 남편 같았다.

"자자, 둘 다 그만하거라. 손님이 계시잖느냐."

"네."

히메는 떨떠름하게 대답하며 원숭이에게서 눈을 돌렸다. 그 덕분에 원숭이는 죽다 살아났다는 양 얼굴에 안도감을 내비쳤다.

"그리고…… 텐."

"엥? 왜?"

아마 텐이 원숭이의 이름인 모양이었다.

"제단에서 다 봤다. 손님에게 버릇없이 군 벌은 나중에 주마."

"뭐, 뭐뭐뭐뭐뭐라고?!"

즐겁게 빙그레 웃는 호오즈키와 절망에 빠진 듯 창백해져서 덜덜 떠는 텐의 구도가 대조적이었다. 역시 겉모습은 노인이라도 왕은 왕인가 보다. 웃고 있지만 반론을 용납하지 않는 위압감을 느꼈다. 텐은 당장에라도 실금…… 아니, 실신할 것 같았다.

히메는 그것을 진심으로 고소하게 히죽히죽 바라봤다.

텐을 구하러 와서 사이가 좋은 줄 알았는데 그렇지도 않은 걸까?

'아니, 서로 놀리고 싸우는 친구도 있다고 하지.'

모두 탁상에 둘러앉은 뒤 호오즈키가 조용히 운을 뗐다.

"우선 이런 곳까지 와줘서 고맙네. 정령을 대표해서 감사하겠네."

"할아버지."

"응? 왜 그러지, 히메?"

"안 듣고 있어…… 저 사람."

"호?"

두 사람이 보는 앞에는 이야기 따위 안중에도 없고 눈앞의 요리에서 눈을 떼지 못하는 히이로가 있었다. 눈빛은 흥분한 것처럼 형형했다.

"이, 이봐, 이거 먹어도 돼?"

"호호호, 그렇다면 먼저 식사부터 할까?"

허가가 떨어진 순간, 나뭇잎으로 된 접시에 놓인 요리들을 무엇부터 먹을지 눈이 휙휙 돌아갔다.

"오오~ 좋은 냄새가 나는군요~!"

"……맛있겠다."

닛키와 카뮤도 군침을 흘리며 요리를 두리번거렸다. 그러는 사이 히이로는 우선 한 접시에 시선을 고정했다.

거기에는 흔히 만화 고기라고 부르는 형태에 무지개색 빛을 내는 뼈 달린 고기가 있었다. 놀랍게도 녹아내리는 것처럼 육즙이 뚝뚝 떨어졌다. 심지어 그 육즙도 무지개색으로 빛났다.

"그건 《무지개 고기》야. 미리 말하는데 일단 디저트에 속하는 요리니까 주의해."

이게 디저트? 그보다 고기가 디저트라는 소리는 살면서 처음 들었다.

설명을 들으니 이 《무지개 고기》는 고기라고 불리지만, 맛은 과일처럼 새콤달콤하다고 했다. 뼈로 보이는 곳도 사실 뼈가 아니라 《벌꿀》을 굳혀서 만든 과자였다.

그렇다면 디저트에 속한다는 말도 이해가 됐다. 하지만 한 번 그 맛이 궁금해진 이상은 맛보지 않고는 배길 수 없었다.

"저도 《무지개 고기》부터 먹겠습니다~."

"……나도."

닛키와 카뮤도 가장 흥미가 동했는지, 같은 요리를 잡았다. 그리고 다 같이 동시에 덥석 물었다.

듣던 대로 식감은 고기가 아니라 비유하자면 카스텔라를 먹는 느낌이었다. 그리고 먹고 나서야 깨달았는데 안에는 팥소처럼 달콤한 물체가 차 있었다. 그 소는 무지개색이었고 아마 그것이 밖으로 흘러나와 카스텔라 겉을 덮은 것 같았다.

"정말로 과자가 맞군! 엄청나게 맛있어!"

카스텔라에 눅진하고 달콤한 소가 들었다면 너무 달 것 같지만, 그렇게 강한 단맛은 아니었다. 굳이 말하자면 절제

된 고급스러운 달콤함일까.

뜨거운 차가 급격하게 당겼다. 탁상 위에는 접시와 마찬가지로 잎으로 만든 찻잔이 있고 거기에는 갈색 액체가 차 있었다. 게다가 거기서 김이 모락모락 피어올라서 저절로 손이 갔다.

홍차 같은 향이 코를 간지럽혔다. 한입 마셔 보자 데지 않을 정도로 절묘한 온도라서 목으로 쉽게 넘어갔다.

"……후우~."

황홀한 한숨이 자연스럽게 흘러나왔다. 홍차와 비슷한 맛에 레몬 티처럼 상큼한 음료였다. 이 《무지개 고기》의 단맛과 찰떡궁합이었다.

"먹어도 먹어도 안 질리는군요~!"

"우걱우걱우걱우걱우걱우걱."

닛키와 카뮤도 상당히 마음에 들었는지 입가에 묻혀가며 정신없이 먹어 치웠다.

그밖에도 다양한 정령의 요리를 맛봤다. 탁상을 가득 채웠던 요리들이 불과 30분 만에 깨끗하게 사라지고 말았다.

"……그, 그 많은 양을 전부……! 이 애들, 배 속에 뭐가 들었담……."

차분해 보이는 히메도 이 광경에는 경악을 금치 못했다.

"특히 안경잡이는 먹어도 너무 먹잖아……."

천국에 있는 기분으로 쉬고 있는 히이로의 불룩한 배를

보고 텐은 어안이 벙벙했다.

"호호호, 맛있었다면 우리도 준비한 보람이 있구먼."

호오즈키만 기뻐하며 미소 지을 뿐이었다. 그 후 한 번 더 차를 받고서야 겨우 이야기를 할 수 있겠다고 생각했는지 호오즈키가 입을 열었다.

"만끽했는가?"

"그래, 만족했어. 정령 요리도 멋지군. 고마워."

솔직한 마음을 전하자 호오즈키가 고개를 끄덕였다. 하지만 곧 히이로는 눈을 가늘게 뜨고…….

"그래서? 나한테 대체 무슨 볼일이야?"

본론으로 들어가려고 했다.

이대로 요리만 대접받고 헤어질 수 있을 만큼 속 편하게 생각하지는 않았다. 어떤 의도가 있다는 것은 명백하니까 빨리 듣고 돌아갈 생각이었다.

"우선은 얼굴을 제대로 보여주지 않겠나?"

그러고 보니 아직 모자를 쓰고 있었다. 벗는 김에 마법으로 옷도 원래대로 되돌려 그에게 얼굴을 보여줬다.

"음, 제법 매력 있는 얼굴이구먼. 어떤가? 우리 히메를 색시로………… 히메, 아파."

히메가 머리를 덥석 물고 있었다. 놀라운 점은 그게 히메란 것이 아니라 조금 전까지는 조그맣던 히메가 사람의 머리를 통째로 물 수 있을 만큼 커졌다는 것이었다.

물린 호오즈키의 머리에서는 폭포 같은 새빨간 피가 흘렀다.

"이상한 소리를 하니까 그렇지!"

완전히 호러 영화였다. 이제 그만 놓아줘야 하지 않을까. 더 물고 있다가는 과다출혈로 죽을지도 모른다.

한숨을 쉬면서 원래 크기로 돌아온 히메는 탁상 위에 올라탔다.

"할아버지, 잘 들어. 다음에 또 이상한 소리를 하면……."

"아, 안다! 아니까 요사스럽게 눈을 빛내지 말아라!"

히메는 콧김을 흥 뿜고 히이로에게 눈을 돌렸다.

"어머? 혹시 진짜 믿었어? 아쉽지만 나는 내가 인정한 사람이 아니면 마음을 줄 생각 없어."

뭔가 큰 착각에 빠진 모양인데 고자세로 나오는 게 아니꼬워서 되받아쳤다.

"웃기고 있네. 누가 너같이 오만방자한 녀석한테 욕정을 품겠냐? 거울 보고 떠들어, 파충류야."

"파, 파파파파파파충류라고?!"

히이로의 단어 선택에 당사자인 히메는 물론 호오즈키도 적잖은 충격을 받아 굳어 버렸다.

"우끼끼! 진짜 웃겨~! 파충류래요, 파충류! 파충우헥?!"

텐이 배를 부여잡고 깔깔대다가 히메의 꼬리에 뺨을 얻어맞고 날아갔다. 히메는 분개한 표정으로 히이로를 노려봤다.

"이, 이, 이게! 누, 누가 파충류야, 누가!"

"누가 봐도 파충류잖아, 백사."

"나는 정령이야! 그것도 고위 정령! 『정령왕』인 할아버지의 직계란 말이야!"

"그러셔? 참 못난 후계자를 뒀군, 『정령왕』. 후계자가 이렇게 시끄러워서야."

화살이 자기에게 돌아와 호오즈키는 쓴웃음을 지었다.

"모, 모모모모못났다고?! 이, 이거나 보고 말해!"

펑, 하고 히메를 중심으로 흰 연기가 피어오르더니 인간의 실루엣이 드러났다.

"봐! 이게 내 본래 모습이야! 이래도 아직 못났다는 말이 나와?!"

연기가 걷히고 히이로와 비슷한 또래의 미소녀가 불퉁한 얼굴로 서 있었다. 화가 나서 도끼눈을 치켜뜨기는 했지만, 빛을 반사할 만큼 아름다운 은백색 머리에 새하얀 피부와 리린이 부러워할 정도로 좋은 몸매를 가졌다.

하지만 왠지 무녀복 같은 옷을 입은 점이 신경 쓰였다. 게다가 얼굴이 동양적인 미녀상에 남자를 매료할 외모라는 것은 틀림없었다. 하지만…….

"……? 그래서 어쩌라고?"

"……응?"

아마도 히메는 자신의 미모에 절대적인 자신감이 있었을 것이다. 하지만 그런 방면으로 관심이 없는 히이로에게는 상대가 미인이든 뭐든 알 바가 아니었다.

그야 히메는 틀림없이 아름다운 소녀지만, 히이로 근처에는 지금 이곳에 있는 카뮤를 포함해 이상하게 남자의 눈길을 끄는 자가 많았다. 솔직히 미소녀는 지겹도록 봤다고 말해도 과언이 아니었다.

그래서 눈앞에 미소녀가 나타나도 허둥대거나 감탄할 정도의 감흥은 없었다.

"저기………… 이게 내 진짜 모습인데?"

"들었어. 그래서 그게 뭐 어쨌다고."

"……이, 이래 봬도 주위에서는 예쁘다거나 귀엽다고들 하는데……."

"그렇겠지. 하지만 저거 봐."

그러면서 카뮤와 닛키를 가리켰다.

"그런 말은 이 녀석들도 실컷 듣고 살아."

"어……."

카뮤와 닛키도 틀림없이 미소녀였다. 카뮤는 남자지만, 대다수 여성에게 부러움을 사는 외모니까 사실상 미소녀나 다를 바 없었다.

"으으으흐~ 부끄럽습니다, 스승님~."

"……응."

두 사람은 볼을 붉게 물들이고 꼼지락댔다. 사실을 말했을 뿐이고 딱히 칭찬할 생각은 없었는데……. 다만, 히메도 히이로의 말에 반론하지 못하고 입만 우물거렸다.

"우갸갸갸갸! 히메, 네가 졌어! 우물 안 개구리였구만! 아, 뱀이었나? 미안미아갸악!"

또 히메를 놀리던 텐이 이번에는 나무로 된 의자를 맞고 날아갔다.

히메는 카뮤와 닛키를 휙 째려보며 자세히 뜯어본 뒤, 다시 눈길을 히이로에게 돌렸다.

"……가슴은 내가 이겼어!"

분명히 가슴이 크다는 부분은 반론의 여지가 없었다.

"너, 이 녀석들한테 이겨서 기쁘냐? 한 명은 꼬맹이고 한 명은 남자인데?"

"……뭐…… 뭐어?!"

카뮤가 남자라는 사실에 놀랐나 보다.

"너, 일단은 《직시하는 종족》이지? 그럼 잘 보라고."

『정령족』이란 《직시하는 종족》이라고 하며 본질을 꿰뚫어 보는 눈을 가졌다.

히메가 히이로의 말을 확인하기 위해서 카뮤를 뚫어지게 바라보고………… 어깨를 축 늘어뜨렸다.

"말도…… 안 돼……. 저렇게 귀엽게 생겼으면서…… 나…… 나…… 남자……?"

"다행이군. 꼬마랑 남자보다 가슴이 커서. 축하해, 파충류녀."

쐐기를 박았다.

"으…… 으으…… 주, 죽일 거야, 이 남자!"

"그, 그만두지 못하겠느냐, 이것아!"

호오즈키가 뒤에서 히메의 어깻죽지를 팔오금으로 꽉 붙들어 제압했다.

"이, 이거 놔요, 할아버지! 제발 부탁이야! 이 남자 죽이게 해줘!"

"주, 죽이면 쓰나!"

"괜찮아요! 목만 물어뜯을 테니까!"

"그러면 죽어! 지, 진정하거라! 그, 그리고 잘 생각해 봐라!"

"뭘!"

"네가 귀여운 건 인정하지 않았느냐!"

"…………응?"

우뚝 멈춘 히메가 확인하듯 호오즈키를 돌아봤다.

"……후우, 방금 너는 다들 너를 칭찬한다고 했지?"

"……응."

"그 뒤에 그렇겠지라고 대답하지 않았느냐. 그러니까 네 미모는 인정한다는 뜻이야. 아이고, 진이 빠지는구먼."

어느샌가 머리의 출혈은 멈췄지만, 대신 이마에서는 땀이 뻘뻘 흘렀다.

호오즈키는 한숨을 푹 쉬며 그 땀을 닦았다.

히메는 히메대로 진실을 요구하려고 히이로에게 눈길을 옮겼다.

"……나, 나 귀여워?"

불안한 기색으로 물었다. 그런 말을 듣고 자랐다고 자랑하지 않았느냐는 의문이 들었지만, 이야기가 진행이 안 되니까 자기 생각을 밝히기로 했다.

"일반적으로는 그렇겠지. 네가 못생겼다고 한다면 대다수 여자들이 불만을 토로할걸."

히메의 외모 수준은 상당히 높았다. 만약 그런 아이가 못생겼다고 생각하면 오히려 미적 감각을 의심해야 할 것이다.

그러자 고개를 살짝 숙였던 그녀는 잠시 그 자세를 유지하다가 긴 머리를 한 손으로 쓸어 넘기며…….

"그럼 그렇지!"

아주 자신감 충만한 웃음을 지으며 거만하게 말했다. 지금 무척 기분이 좋다는 것은 누가 보나 확실했다.

또 비위가 상하면 귀찮아지니까 모두 아무 말도 하지 않고 침묵을 지켰다.

'그나저나 자존심 한번 강한 녀석이군. 이런 정령도 있나.'

그러고 보니 여기 오고 시간이 꽤 지났는데 아직 소개도 하지 않았다는 것을 깨달았다. 상대방도 자기소개를 했으니까 이름 정도는 밝힐까 생각했지만, 저들은 처음부터 자신의 이름을 아는 눈치였다.

그래도 일단 카뮤와 닛키를 포함해서 이름만 말해 뒀다.

"그래서? 빨리 본론을 말해."

"그래야겠구먼."

호오즈키가 어흠, 하고 작게 헛기침하며 운을 뗐다.

"히이로, 자네를 이곳에 초대한 건 사실 큰 의미는 없네."

그럼 부르지 말라고 하고 싶지만, 맛있는 요리도 먹었으니까 아무 말도 하지 않았다.

"라는 건 거짓말이고."

……날려 버릴까? 순간 울컥해서 그만 검지를 세우고 말았다.

"그 님니아호가 신경 쓰는 이세계인을 내 눈으로 보고 싶었다는 게 이유 중 하나라네."

"역시 『요정 여왕』을 아나 보군. ……그리고?"

"흠, 잠깐만 일어나주겠나?"

말하는 대로 일어나자 호오즈키가 다가왔다. 살짝 경계해서 온몸에 힘이 들어갔다. 닛키와 카뮤도 히이로의 분위기를 감지하고 지킬 수 있게 앞에 섰다.

"호호호, 우수한 경호원이구먼. 하지만 걱정하지 말게. 딱히 해를 끼치려는 게 아니야. 자네, 전에 님니아호에게 마력을 받았지?"

"마력? ……받았지."

기억났다. 분명히 처음 요정이 사는 【페어리 가든】에 갔을 때, 돌아오기 전에 요정 오른에게 신뢰의 증표로 《요정의 반지》를, 여왕에게는 마력 덩이를 받았다.

마력 덩이는 가슴속으로 흡수되었지만, 그 후로 아무 일도 없어서 까맣게 잊고 있었다.

"그걸 이렇게 하면……."

호오즈키가 히이로를 향해서 오른손을 내밀자 갑자기 히이로의 가슴이 빛났다.

마력의 따스함이 가슴 가득 퍼지고 서서히 몸에서 떨어져 나갔다. 큰 비눗방울 같은 마력 덩이가 하늘에 떠서 둥실둥실 호오즈키에게로 갔다.

하지만 호오즈키는 그걸 받지 않고 물에 빠뜨리고 말았다. 뭘 하려는지 궁금해 주변을 관찰하는데, 갑자기 물이 솟아올라 문 형태로 변해 갔다.

문이 천천히 열리던 그때, 틈으로 무언가가 나와 히이로에게 쌩 날아들었다.

"우와~! 히이로다! 히이로다!"

그것은 틀림없이 전에도 본 시끄러운 요정이었다. 그것도 가장 많이 달라붙던 붉은 머리 오른이었다. 오른은 기뻐하며 히이로 주위를 빙빙 돌았다.

"오랜만이야~! 오랜만이야~!"

여전히 정신 산만한 말투여서 벌써 넌더리가 났다. 하지만 호오즈키가 대체 뭘 했는지는 이해됐다. 한 번 더 물로 된 문을 봤을 때, 또 낯익은 여성이 나타났으니까.

"—오랜만이에요, 히이로 오카무라 씨."

『요정 여왕』 님니아호의 등장이었다.

유리처럼 투명한 연푸른색 머리카락이 땅에 닿을 정도였고 그것이 햇빛을 받고 반짝반짝 빛났다. 또 머리 위에는 왕관 같은 것을 썼다.

등에는 아름다운 날개가 여러 장 달렸고, 무지개색으로 빛나는 그것은 보석처럼 사람의 눈길을 사로잡으리라고 상상하기 어렵지 않았다. 얼굴도 너무 단정해서 책 속에 나오는 여신 같다는 착각마저 들었다. 틀림없이 전에 만난 님니아호였다.

그녀는 주위에 다른 요정들을 거느리고 있었다.

"히.이.로! 히.이.로! 오랜만이야! 오랜만이야!"

오른이 히이로 머리 위를 빙글빙글 날아다니며 시끄럽게 외쳐 댔다.

"오른, 그만둬요. 오랜만에 만나서 흥분한 마음은 알지만, 『정령왕』의 어전이에요."

"앗, 실수! 실수!"

손을 입에 대고 귀엽게 당황하며 님니아호에게 돌아갔다.

"호호호, 활기찬 아이구먼."

"우후후, 너무 기운이 넘쳐서 탈이죠."

"아니야, 건강한 게 제일이지. 음, 오랜만이구먼, 님니아호."

"저야말로 이렇게밖에 찾아뵙지 못해서 죄송해요."

님니아호가 정중하게 머리를 숙이는 모습을 보니까 상하 관계는 호오즈키가 위인 모양이었다.

"호호호, 별수 있나. 자네는 이제 여왕이야. 옛날처럼 그곳과 이곳을 마음대로 오갈 수 있는 입장이 아니지."

호오즈키의 말에는 약간의 아쉬움이 묻어났다.

'구면…… 그것도 상당히 친밀해 보이는데…….'

단순히 종족의 왕이라서 아는 사이가 아니라 그보다 더 깊은 관계임을 지금 말을 통해 알았다. 적어도 옛날에는 님니아호도 이 【스피릿 포레스트】를 찾아올 만큼 친밀한 관계 같았다.

"다시 인사드릴게요. 오랜만에 뵈어요, 호오즈키 님. 그리고…… 히메."

님니아호가 히메에게 고개를 돌리지만, 히메는 한순간 살짝 거북한 기색을 비쳤다가 곧 표정을 고쳤다.

"네. 오랜만에 뵈어요, 님니아호 님."

"……."

"할아버지, 그럼 저는 잠깐 볼일이 있어서……."

"히, 히메, 인석아!"

히메는 호오즈키의 말을 한쪽 귀로 흘리고 잽싸게 이곳을 빠져나갔다.

'저 녀석 뭐야? 갑자기 태도가 서먹하게 구는군.'

지금까지 보인 히메의 태도와 달라서 강렬한 위화감을 느꼈다. 게다가 님니아호의 얼굴에도 슬픈 빛이 어렸다.

"……미안하구먼. 저 아이도 나쁜 뜻이 있어서 저러는 건 아닌데……."

님니아호는 쓸쓸하게 미소 지으며 고개를 저었다.

"아뇨, 히메의 마음도 이해해요."

"그런가……."

"하지만……"

"응?"

"이제는…… 옛날처럼 니아라고 불러주지 않는 걸까요……."

점점 분위기가 불편해졌다. 닛키와 카뮤도 그 분위기를 느꼈는지, 자꾸만 도움을 청하듯 히이로에게 눈짓을 보냈다.

하지만 그런 가운데.

"어머니, 어머니."

분위기를 180도 바꾼 것은 지나치게 활기찬 작은 존재—오른이었다.

"오, 오른? 왜 그러니?"

"히이로야! 히이로야!"

쾌활하게 웃는 그녀 덕분에 조금 전까지 그늘이 졌던 님니아호의 얼굴도 밝아졌다.

"우후후, 그러게. 호오즈키 님, 그와 재회할 수 있도록 다시 문을 이어주셔서 정말로 감사드려요."

"호호호, 신경 쓰지 않아도 돼. 자네는 히메처럼 내 손주

나 다름없으니까."

님니아호는 히이로에게 눈길을 돌리고 싱긋이 웃음을 흘렸다.

"히이로 씨, 궁금한 점은 많겠지만, 일단 인사부터 드릴게요. 정말로 오랜만이에요. 훌륭하게 성장하신 것 같아서 안심했어요. ……뮤아 씨는 안 계신가요?"

"그래. 그 녀석은 지금 나랑 같이 안 다녀. 지금 여행 동료는 이 녀석들이지."

"그랬나요……. 다시 뵙고 싶었는데 아쉽네요."

전에 그녀와 만났을 때는 옆에 뮤아 카스트레이아가 있었다. 죽이 잘 맞았던 만큼 만나지 못해 아쉬울 것이다.

"그러고 보니 나한테 마력을 줬을 때, 너는 이렇게 말했지. 그건 【페어리 가든】과 나를 이어주는 것이라고. 그게 이런 뜻인 줄은 몰랐어."

그리고 마지막에 『정령왕』을 언급하기도 했다.

"죄송해요. 당신이라면 언젠가 이 【스피릿 포레스트】에도 들어올 수 있으리라고 생각해서 제 힘을 맡겼어요."

"나를 운반책으로 써먹어서 여기로 오는 게 목적이었다…… 그렇게 봐도 되나?"

조금 불쾌하게 말하자 그녀도 미안한 듯 고개를 숙였다.

"정말로 죄송해요. 하지만 제가 다시 여기 오려면 이 방법이 가장 확실했어요. 히이로 씨를 이용한 점은 사과드릴 수밖에 없네요."

왜 이런 짓을 해야 했는지 물어봤다. 그녀의 대답은 이러했다.

먼 옛날 【페어리 가든】과 【스피릿 포레스트】는 쉽게 왕래할 수 있는 거리에 있었다. 하지만 어느 날, 두 곳을 감싸는 공간에 갑자기 균열이 생기고 새롭게 출현한 공간에 삼켜지고 말았다.

그 일이 있고 나서 두 곳은 오가기 어려울 만큼 멀어졌고 환경도 변화했다.

"……환경? 무슨 환경이 변했다는 거지?"

모종의 이유로 공간 자체가 전이한 건 알겠지만, 환경이라는 말이 마음에 걸렸다. 애초에 히이로는 이곳, 아니, 이곳뿐 아니라 두 장소가 어디에 존재하는지 몰랐다.

"……히이로 씨는 【페어리 가든】, 그리고 【스피릿 포레스트】가 어디에 있는지 아시나요?"

"……어딘데?"

"……바다 아래예요."

"…………뭐? 바다 아래라고……?"

상상을 초월한 답이 돌아왔다. 문제가 있는 환경이라면 미로 같은 숲이나 사막 한가운데 떨어졌나 싶었지만, 설마 바닷속일 줄은 몰랐다.

"……숨 쉴 수 있잖아. 게다가 이렇게 환해."

이곳에서는 평범하게 호흡할 수 있었다. 그래서 바닷속이라고는 생각하지도 못했다.

"그건 왕들이…… 이곳에서는 내가, 저쪽에서는 님니아호가 결계를 쳤기 때문이네. 그 결계 덕분에 이 공간이 유지되는 게지."

"그래?"

"네. 아주 짧은 시간이라면 이렇게 【페어리 가든】을 떨어져도 괜찮지만, 평범한 방법으로 이곳에 오려면 시간이 너무 오래 걸려요."

바다의 수압이나 흉악한 몬스터를 막으려면 강력한 수호 능력이 필요할 것이다. 이 세계의 바다는 상상 이상으로 위험으로 가득하니까.

"그래서 여기 오려면 나를 징검다리로 쓸 수밖에 없었다는 건가……."

이해했다. 그 방법이라면 호오즈키가 자신을 이곳에 부르기만 해도 문제가 해결된다.

"하지만 잘 모르겠군."

"뭐가 말인가?"

호오즈키는 의아한 표정을 지으며 물었다.

"왜 반년 넘게 아무 소식도 없었지? 더 일찍 나를 부르지 않고."

그렇다면 님니아호도 더 일찍 이곳에 왔을 것이다.

"조건이 있어서지."

"조건?"

"그렇다네. 자네, 【페어리 가든】에 들어갈 때를 생각해 보게."

호오즈키의 말에 따라서 그때 일을 떠올려 봤다. 아놀드, 아뮤와 여행하다가 밤에 《문자마법》 연습을 하려고 넓은 곳을 찾던 때, 야트막한 언덕 위에서 기묘한 빛을 발견했다.

그것이 오른을 포함한 요정들이었다. 그 후 히이로는 왠지 그들에게 호감을 샀고, 이곳에 올 때와 같은 방법으로 【페어리 가든】에 가게 됐다.

"실은 말이지, 두 공간에 들어가려면 요정이나 정령의 허가가 필요하다네."

"그렇군."

"다만, 그러려면 직접 우리를 만나야만 해."

"……? 그건 당연하잖아? 허가가 필요하니까 실제로 만나야겠지."

"그거일세. 【페어리 가든】은 우연히 요정을 만나서 자네의 성질을 꿰뚫어 보았지만, 정령과는 만났나?"

"음…… 그러고 보니…… 아니, 잠깐만, 만났어. 눈토끼 같은 녀석을."

아놀드의 스승인 라라시크 판날이라는 『토인족』이 불러낸 눈토끼 유키를 만난 적이 있었다.

"그래, 유키에게 만났지. 그 아이를 통해서 처음 자네 위치를 알았다네."

호오즈키의 말에 따르면 외부인을 초대하는 공간의 균열은 쉽게 만들 수 없다고 한다. 아무리 짧아도 몇 개월에 한 번이 고작이다.

"유키에게 이야기를 듣고 균열을 열기는 했지만, 이미 자네는 그곳에 없었어."

【수왕국 파시온】에는 오래 있지 않았으니까 엇갈렸을 가능성은 충분히 있었다.

"맞아맞아. 그때도 내가 갔는데 아무리 찾아도 없어서 두 손 들었다고."

지금까지 조용히 있던 원숭이— 텐이 불만을 토로했다. 그렇게 따진들 히이로도 그들이 찾는 줄 몰랐으니까 별수 없었다.

"그러고서 육지에 있는 정령들에게 자네를 보면 바로 연락하도록 전달했는데, 오늘이 되어서야 겨우 만난 게지."

"그것도 그 눈토끼 때문이야?"

"호호호, 아니네. 자네 아래를 보게."

호오즈키 말대로 바닥을 보자 어느샌가 개…… 아니, 붉은 털이 난 고양이가 히이로를 빤히 올려다보고 있었다.

"……뭐야, 이 고양이는?"

"모르겠나?"

"…………앗?!"

불현듯 떠올랐다. 한 마리……라고 해도 될지 모르겠지만, 아무튼 정령을 만나지 않았던가. 그뿐인가, 사투까지 벌였다…….

"서, 설마…… 그 사자?"

"그렇다. 소승의 이름은 시시. 그때 본 그대의 힘에는 감동했다."

무슨 말투가 이렇게 딱딱한가. 어쨌든 시시라고 하면 레오우드가 불러낸 시시라이가라는 정령일 것이다.

무심결에 거리를 벌리고 경계했다. 왜냐면 한 번 그를 반죽음으로 몰고 간 전적이 있으니까. 그런 감정을 알아차렸는지 시시가 입을 열었다.

"그때 결과를 신경 쓸 필요는 없다. 정정당당하게 주먹을 맞대고 싸운 것이다. 원한 따위는 품지 않는다."

어떤 악감정도 느껴지지 않는 맑은 눈을 보고 그의 말이 진실이라고 판단했다.

'그, 그건 그렇고 그 무식하게 큰 짐승이…….'

지금은 귀엽기만 한 고양이였다. 무심코 머리나 목을 문지르고 싶은 충동에 휩싸여도 어쩔 수 없었다. 이래 봬도 개나 고양이는 좋아하는 편이었다.

"시시에게 이야기를 듣고 자네가 【마국】에 있다는 것을 알아서 텐을 보낸 걸세."

"그랬군. 그래서 나를 숲으로 불러내서 이곳으로 안내할 작정이었나."

"그래그래. 그러니까 그때 장난은 너그럽게 봐줘. 귀여운 원숭이가 재롱 한번 부린 거야! 줄여서 재롱숭이!"

귀여운 척하며 웃어넘기려는 게 반성의 기미가 보이지 않아서 울컥했다. 벌이라도 줘 볼까.

"그 이야기는…… 나중에 따로 하자꾸나…… 텐."

호오즈키에게서 엄청난 살기를 느끼고 텐이 겁먹은 동물처럼 덜덜 떨었다. 썩 좋은 꼴이었다.

"그나저나 그랬군. 그런 이유가 있었다면 오늘까지 나를 부르지 못한 것도 이해가 돼. 하지만…… 이건 빚으로 달아둬도 되겠지, 『요정 여왕』?"

"네, 감사합니다."

조금 안도한 님니아호는 다시 고개를 숙였다. 어쩌면 벌이라도 받을 줄 알고 불안했던 걸까? 이용당한 건 불쾌하지만, 그래도 격앙할 정도로 속이 좁지는 않다고 스스로 생각했다.

"……음, 잠깐만. 그러고 보니 한 명 더 변태…… 아니지, 정령과 만났어."

히이로의 말이 모든 시선을 끌어모았다. 히이로가 팔짱을 끼며 말을 이었다.

"그냥 만난 것도 아니라 계속 같이 다녔는데……."

"계속 같이? 누구인가?"

그건 히이로의 동료인 변태 집사 시우바 플루티스였다. 적어도 반년 이상 함께 다녔다고 알려줬다.

"흠, 시시가 결투 장소에서 그를 봤다고 말하긴 했지만……."

호오즈키가 복잡한 표정으로 신음했다.

'역시 뭔가 사정이 있나.'

시우바도 자신이 결점 있는 정령이라고 했다. 평범한 정령과의 사이에 뭔가 문제가 있다고 예상했는데 짐작대로였나 보다.

"시시, 한 번 더 물으마. 그가 확실하더냐."

"틀림없다. 이야기로 들은 시우바 공의 외모와 일치한다."

시시의 확언을 듣고 호오즈키는 고민스럽게 한숨 쉬었다.

"자네, 히이로라고 불러도 되겠나?"

"마음대로 불러."

"좋네. 히이로, 그가 자네에게 자기 이야기를 얼마나 하던가?"

"거의 못 들었지. 결점이 있다는 것밖에는."

"흠, 그럼 내가 자세하게 할 말도 아니구먼."

"딱히 신경 안 써. 억지로 남의 사정을 캐내고 싶지도 않아. 내가 듣고 싶은 건 그 녀석은 보고하지 않았냐는 거야."

"그는 연락을 끊은 지 오래야. 시시가 그를 봤다고 이야기해서 놀랐을 정도지."

시우바는 그만큼 오래 고향이나 다름없는 이곳과 단절되어 생활한 모양이었다.

"……그랬구먼, 그랬어. 그 녀석이 지금을 즐기며 살아가고 있다면 그것도 괜찮겠지."

먼 곳을 바라보며 말하지만, 그 말에서는 후회와 같은 감정이 느껴졌다. 호오즈키와 시우바 사이에 무슨 일이 있었는지 모르지만, 보통 일은 아닌 듯했다.

"한마디만 하자면, 그 녀석과 나는 둘도 없는 친구라는 게지……."

친구였다라고 과거형으로 말하지 않는 점으로 보아 적어도 그는 시우바를 지금도 친근하게 생각하는 것 같았다. 시우바는 그를 어떻게 생각하는지 몰라도 연락을 끊었다면 시우바 쪽에서 거리를 둔다고 봐야 할 것이다.

"그 녀석 이야기는 됐어. 나를 여기 부른 이유는 이게 전부인가?"

볼일을 다 봤으면 돌아가고 싶다고 덧붙이자…….

"뭐어~! 벌써 가? 벌써 가?"

시끄러운 녀석이 있다는 사실을 깜빡하고 있었다.

히이로는 이미 볼일이 없으니까 가고 싶었다. 하지만 닛키와 카뮤가 묘하게 오른이나 다른 정령들과 친해져서 어떻게 할까 고민하던 그때.

"히이로, 조금 더 있다가 돌아가는 게 어떤가? 당분간은 오고 싶어서 올 수 없어. 이런 경험도 좋지 않나?"

호오즈키까지 설득하고 나서자 체념의 한숨이 나왔다. 호오즈키의 생각은 쉬이 짐작할 수 있었다. 드물게 손님이 찾아와 기뻐하는 정령들이나 이곳을 방문한 『요정 여왕』을 위해서라도 조금이라도 오래 붙잡아 두고 싶으리라.

후한 대접도 받았고 지금은 솔직히 기분이 좋았다. 게다가 닛키와 카뮤도 좋아하니까 어쩔 수 없이 더 머물기로 했다.

"게다가 자네, 시시에게 이겼다고 하던데 정령의 진실은 아는가?"

"진실이란 게 지금 당신처럼 인간형으로 변할 수 있다는 이야기야? 게다가 인간형 정령은 힘도 차원이 다르다는 그거?"

"호호호, 잘 아는구먼. 혹시 시우바에게 들었나?"

"그렇지, 뭐."

"……그랬구먼."

호오즈키는 감회에 젖은 눈으로 돌아봤다.

"시우바는 어지간히 자네가 마음에 들었나 보군."

수염을 문지르는 그는 기쁜 표정을 짓고 있었다. 지금 대화로 판단할 수 있었다. 두 사람의 사이가 증오만으로 엮인 어두운 관계가 아니라는 것을.

"인간형 정령을 불러낼 수 있는 자는 적지. 그토록 강하다는 수왕조차 아직 수련이 부족하다는 뜻이네."

"호오즈키 님, 레오우드는 소승이 인정한 호걸이다. 언젠가 소승의 진짜 모습을 불러내리라고 믿는다."

시시라이가가 살짝 욱해서 반박했다. 레오우드를 비판한

호오즈키의 말을 인정할 수 없었나 보다.

"호호호, 미안하네. 나도 그건 믿고 있어. 수왕 안에는 태곳적부터 흐르는 자네와의 영적 연결 고리가 있지. 그러니까 반드시 본래 모습으로 현계하게 될 게야."

왕의 말에 시시라이가가 만족스럽게 고개를 끄덕였다.

"그나저나 수인들에게는 새삼스럽게 놀라게 되는구먼. 그 《팔찌》는 정말로 걸작이야."

"……《팔찌》? 혹시 《이름 없는 팔찌》 말이야?"

"맞네."

그 《팔찌》는 정령과 계약해 정령의 힘을 다루는 힘, 《가장술》을 쓰기 위한 도구였다. 그 덕에 마법을 쓸 수 없는 수인도 『마인족』이나 『인간족』과 맞붙을 수 있게 됐다.

"그건 대단한 물건이야. 자신의 혼에 잠든 정령의 힘을 깨우지. 제작자는 진정 천재라고 할 만해."

《팔찌》를 개발한 사람은 《가장술》을 짜낸 라라시크의 오빠 유히트 판날이었다. 용모와 언행은 영락없는 미친 과학자지만, 『정령왕』이 인정했다면 진짜 천재일 것이다.

"수인의 조상은 정령이고, 옛날에는 『영수(靈獸)』라고 불렸다는 사실을 아는가? 《팔찌》는 그들의 《정령혼》을 현상으로 불러일으키는 힘이 있네."

"어느 정도는 변태 집사한테 들었어. 짐승과 정령이 일체화한 게 『영수』. 그게 오랜 세월을 거쳐 살기 편한 형태—

인간의 모습으로 변화했다지?"

"맞네. 하지만 그러면서 정령의 힘도 약해졌어. 그 반동인지는 몰라도 마법도 못 쓰는 몸이 되어 버렸지. 그만큼 특출한 신체 능력과 생명력을 얻게 된 걸세."

"짐승의 유연성, 운동 능력, 생명력…… 정령의 힘과 맞바꿔 육체가 강화됐나."

"그렇지. 하지만 약해졌다고 해서 사라진 것은 아니야. 수인의 여기에는 정령의 힘— 혼이 있네."

호오즈키는 그러면서 엄지로 자기 가슴을 톡톡 찔렀다.

"그러니까 《이름 없는 팔찌》는 그 영혼의 힘을 깨우는 기폭제라는 말이지?"

"자신에게 존재하는 정령의 힘을 끌어내서 극한까지 증폭하는 물건이네."

"그 정령이란 건 어떻게 보면 자기 자신 아니야? 그렇다면 자신과 계약한다는 뜻인가?"

"쉽게 말하면 그렇지만, 정령이란 또 하나의 나. 과거부터 면면히 이어진 혼 그 자체. 우리는 그것을 《정령혼》이라고 부르네. 헌데 사실은 《팔찌》가 없어도 《정령혼》의 힘을 사용할 수는 있어."

"……뭐, 그야 그렇겠지."

원래 자신 안에 잠든 힘이라면 《팔찌》가 없어도 끌어낼 수도 있다. 그건 의문의 여지가 없다. 《팔찌》는 어디까지나 힘을 끌어내기 쉽게 해주는 부스터 같은 역할일 것이다.

"자기 안의 《정령혼》을 인식했을 때, 이 【스피릿 포레스트】에 정령이 형태를 갖추고 태어나네."

수인이 자기 안에 잠든 정령의 힘을 끌어냈을 때, 이곳에 갑자기 새 정령이 생기는 모양이었다. 처음부터 여기 존재하는 정령과 계약하는 방식은 아닌가 보다.

"그렇다면 지금 여기 있는 정령들은 누군가의 힘 그 자체란 말이야?"

지금 이야기를 정리하면 그렇게 된다. 하지만 호오즈키는 고개를 가로저었다.

"자연히 태어나는 자도 있네. 나나 히메, 그리고 거기 있는 텐도 그래."

자연의 힘이 모여서 호오즈키 같은 고위 정령이 되기도 한다는 이야기였다.

"하지만 거기 있는 시시는 수왕이 《팔찌》를 써서 《정령혼》을 깨웠을 때 이곳에 태어났지."

"그렇다. 레오우드는 소승. 소승은 레오우드다."

둘은 하나로 이어져 있었다.

"응? 이어졌다는 말은 설마 네가 죽으면 수왕도 죽어?"

"아니네. 이어지긴 했어도 혼의 일부. 정령이 사라져도 시간이 지나면 다시 여기에 태어나지."

"그런 구조군."

“허나 수인은 별개야.”

“……무슨 말이지?”

호오즈키의 설명에 따르면 정령은 설령 누군가의 공격으로 죽어도 계약한 상대만 있으면 시간이 지난 뒤 이곳에서 부활한다.

하지만 정령의 주인인 수인이 죽으면 두 번 다시 부활할 수 없다. 말 그대로 완전한 죽음으로 이어진다.

“상대가 있으면, 이란 게 무슨 뜻이야?”

“나나 텐처럼 자연적으로 태어난 정령은 현세에 몸을 묶어 둘 말뚝이 없네. 만약 죽으면 세상과 이어질 힘을 잃고 완전히 소멸하지.”

“그렇군. 요정도 마찬가지야?”

옆에서 조용히 이야기를 듣던 님니아호에게 물었다.

“네. 원래 요정은 누군가와 계약하지 않아요. 죽음이라는 개념은 사람과 같죠. 한 번 죽으면 그걸로 끝이에요.”

같은 『정령족』이라는 범주에 속해도 둘은 명백히 다른 존재 같았다.

“그래? 그럼 자연스럽게 태어나는 정령은 누군가와 계약하는 편이 이득 아니야? 몇 번 죽어도 계약자만 살아 있으면 되잖아?”

그러자 호오즈키가 복잡한 표정을 지었다.

“그건 어렵네.”

"왜?"

"수인이 우리 같은 다른 정령과 계약할 수 없는 이유를 알겠나?"

"…………설마 이중 계약이 안 되나?"

호오즈키가 힘주어 고개를 끄덕였다. 수인에게는 원래 정령의 힘이 깃들었다. 그래서 다른 정령과 계약하려고 해도 반발을 일으킨다.

"그렇다면 인간이나 마인은 어떤가. 그것도 어렵네."

"그래? 본래 정령의 힘을 가지지 않은 자라면 계약할 수 있을 것 같은데……."

하지만 호오즈키는 애초에 『인간족』과 『마인족』에게는 정령의 힘을 받아들일 그릇이 없다고 한다.

원래 혼의 그릇은 한 명에 하나뿐. 수인은 처음부터 정령의 힘을 가졌으니까 별개지만, 보통은 한 그릇에 두 영혼은 들어가지 못한다.

억지로 채워 넣으려고 하면 그릇이 그 크기를 감당하지 못하고 망가지며, 더 나쁜 경우 영혼이 함께 소멸해 두 사람의 정신이 붕괴할 우려가 크다.

게다가 특히 지금의 『인간족』과 『마인족』은 『정령족』을 신뢰하지 않는다. 계약은 신뢰의 힘이기도 하다. 이런 상황에서 계약은 꿈도 꾸지 못한다.

정령의 힘은 강대하며 제대로 다루면 큰 전투력이 된다.

그래서 『정령족』은 지금의 『인간족』과 『마인족』에게 자신들의 힘을 나눠주기 싫은 것이다.

잘못된 방향으로 힘을 쓸 것이 불 보듯 뻔하기 때문이다.

전쟁— 그런 허무한 다툼을 위해서 강대한 힘을 넘길 수는 없다.

'타당한 이유군. 특히 인간왕이 이 사실을 알면 틀림없이 이용하려고 할 테지…… 응?'

그때 깨달은 사실이 있었다.

"이봐, 그런 중요한 이야기를 나한테 말해도 돼?"

자신도 전쟁에 참가한 인물이며 일단은 『인간족』이었다. 그 이야기를 다른 곳에 누설하면 어쩔 거냐는 의도로 물었다.

그러자 호오즈키는 왠지 히죽거리며 웃음을 흘렸다. 뭔가 굉장히 안 좋은 예감이 들었다.

"히이로, 자네는 《적기》를 다룰 수 있지?"

"그, 그래……."

그가 말하는 《적기》란 레오우드와의 결투에서 『천하무쌍』 문자를 적기 위해 쓴 붉은 빛이었다.

그것이 무슨 상관이냐고 생각해 미간에 주름을 잡으며 호오즈키를 보자, 그는 놀라운 말을 꺼냈다.

"어떤가, 히이로. 우리 중 한 명과 계약해 보지 않겠나?"

제2장 정령 계약과 전설의 대장장이

"계, 계약? 무슨 소리야?"

갑자기 호오즈키가 정령과 계약하지 않겠냐는 이야기를 해서 어리둥절했다. 님니아호조차 그의 말에 시간이 멈춘 것처럼 굳어 버렸다.

하지만 호오즈키는 한 번 더 같은 말은 했다.

"계약은 계약이네. 여기 있는 정령과 맺어 보라는 말일세."

"……왜 그렇게 돼? 지금 막 인간과 마인은 그릇이 너무 작아서 불가능하다고 하지 않았나?"

정령과 계약해서 그 힘에 짓눌려 폐인이 되고 싶지는 않았다.

"그랬지. 보통 사람이라면 그 부담을 이겨 내지 못하고 정신이 죽어 버려. 허나 어디까지나 보통 사람이라면 그렇다는 게야."

"……설명해 줘."

"뭐, 어려운 이야기는 아니네. 《적기》를 다룰 수 있다는 건 서로 다른 두 힘을 제어할 줄 안다는 뜻이네. 본래 《적기》는 혼혈…… 두 종족의 혼을 가진 자만 만들 수 있다고 하지."

그건 안다. 레벨이 오르고 《네 문자 해방》을 얻었을 때 머릿속에 정보가 들어왔고 문헌으로도 약간의 지식은 얻었다.

"그만큼 다른 힘을 하나로 섞기란 어렵지……. 보통은 불가능해. 허나 혼혈은 원래 그런 제어력을 타고난다네."

"그건 알아. 내가 듣고 싶은 건 혼혈도 아니고 혼의 그릇도 하나뿐인 나한테 계약을 권유한 이유야."

호오즈키는 의미심장하게 수염을 쓰다듬으며 숨을 길게 내쉬었다.

"……본래 순수한 인간인 자네가 《적기》를 다룬다. 그 말인즉, 혼혈과 동등한 자격을 가졌다는 뜻이지."

"……응? 잠깐만. 그럼 혼혈은 쉽게 정령과 계약할 수 있다는 소리야?"

지금 들은 내용을 정리하다가 그런 견해에 다다랐다.

"수인의 피가 섞이지 않았다면 말이지."

"……아하. 혼혈이라도 수인의 피가 흐르면 이미 내면에 잠든 정령이 있으니까 새로 계약할 수 없다 이건가?"

"제대로 이해했네. 물론 혼혈이라고 전부 계약이 가능하지는 않아. 어디까지나 《적기》를 다룰 정도의 실력자만 그럴 자격이 있지."

"이해했어. 제법 흥미로운 이야기군."

지금까지 혼혈은 《금기》로 불리며 멸시되어 왔다. 그 이유는 그들에게는 마법도 《가장술》도 주어지지 않기 때문이었다. 그야말로 이질적인 존재. 그렇기에 그들은 혐오와 배척의 대상이었다.

하지만 그런 혼혈에게도 광명이 있었다. 그것이— 《적기》. 쉽게 말하면 힘을 제어하는 능력이 특출하게 뛰어나다는 의미다.

그리고 그 《적기》를 다룰 수 있게 되면 강력한 《정령 계약》을 맺을 수 있게 된다. 만약 시시라이가나 유키오자처럼 고위 정령과 계약하면 혼혈이 타 종족을 압도하고 대두할 가능성도 있다.

'저마다 일장일단이 있나. 재미있게 돌아가는 세상이야. 이 이야기를 듣고 혼혈 배척파의 얼굴이 새파래지는 게 눈에 선하군.'

여행을 하며 그런 자들을 많이 만났다. 그들은 혼혈이 아무것도 가지지 못한 약하고 추잡한 종족이라고들 말했다. 혼혈인 샤모에나 윙카 지오도 과거에 그런 경험을 지겹도록 했다고 한다.

하지만 실제로는 혼혈에게는 혼혈 나름의 힘이 분명히 존재했다. 물론 그 힘을 키우지 않으면 아무것도 못 하지만, 아무것도 없다는 관념에서 탈각한 것만으로도 큰 차이였다.

"……혼혈 이야기는 이만하면 됐어. 요컨대 혼혈도 아닌 내가 정말로 계약을 할 수 있느냐는 거야."

게다가 계약하면 뭐가 좋은지도 아직 듣지 못해서 불안이 앞섰다.

"어허, 『정령왕』의 말을 못 믿겠다는 겐가?"

"본 지 얼마나 됐다고 믿네 마네야?"

말 같지도 않은 소리였다. 아직 말도 몇 마디 안 나눈 사람을 무턱대고 믿는 쪽이 비정상이다.

"호호호, 그것도 그렇구먼. 그럼 시험이나 해 볼까."

그러면서 천천히 걸어서 히이로에게로 다가왔다. 히이로도 앉아 있던 의자에서 일어났다.

"설마 당신이랑 계약하자고?"

"호호호, 그러고 싶은 마음은 굴뚝같네만."

"아니야?"

"지금 내게는 계약을 유지할 힘이 남아 있지 않네……."

그렇게 말하는 호오즈키에게서 어떤 애수가 느껴졌다. 그를 보는 님니아호도 같은 표정을 짓는 모습이 보였다. 아마 깊은 사연이 있나 보지만, 아무래도 상관없으므로 화제를 돌렸다.

"그럼 만약 계약할 수 있다면 나랑 계약하는 건 누구야? 설마 방금 그 시끄러운 뱀녀는 아니겠지?"

인상을 팍 쓰며 말했다. 직감적으로 히메와는 궁합이 안 좋다고 느꼈다. 얼굴만 보면 말싸움이 벌어질 듯했다.

"호호호, 나는 그래주면 기쁘네만."

"나는 안 기뻐."

"안심하게. 히메의 상대는 자네가 아닐세."

그 말을 듣고 안도했다. 만약 히메와 계약하고 쭉 함께 있게 되면 리린 이상으로 잔소리를 들을 것 같았다. 하지만 그녀가 아니라면 대체…….

"그럼 누구야?"

"여기 있는 텐이라네."

그러면서 멍하게 앉아 있던 텐의 머리에 손을 얹었다. 히이로에게 다가온 게 아니라 텐에게 다가간 모양이었다.

"흐음, 나랑 계약을………… 뭐, 나랑?!"

텐도 금시초문이었는지 눈이 튀어나올 만큼 놀랐다.

"뭐야, 싫으냐? 예전부터 밖으로 나가서 이름을 떨치고 싶다고 말하지 않았느냐."

"어…… 아, 그건…… 맞는데……."

텐이 힐끔힐끔 히이로를 평가하듯 관찰했다.

"그리고 앞으로 이런 기회는 없을지도 몰라."

"으……."

"더불어 히이로는 아마 세상을 다 뒤져도 거의 없을 위인이야."

"으~."

"너도 어렴풋이 느끼고 있지 않나?"

그토록 칭찬하면 살짝 낯간지럽지만, 히이로도 하고 싶은 말이 있었다.

"이봐, 나는 아직 계약한다고 말한 적 없어."

"흠, 싫은가?"

"싫다……기보다 계약하면 어떻게 되는지부터 알려줘."

만약 이런 원숭이와 융합해서 생김새까지 원숭이가 되어버리면 대참사였다.

"오, 그랬지. 애초에 자네는 계약이 무엇이라고 생각하나?"

"내가 먼저 물었잖아……. 계약이라…… 수왕처럼 정령을 다룰 수 있게 되나?"

《가장술》처럼 속성의 힘을 구사하거나 정령을 부르는 이미지를 상상했다. 하지만 그 대답에 호오즈키는 고개를 저으며 부정했다.

"아니, 수인들이 하는 계약과는 의미가 전혀 달라. 수인들의 계약은 어디까지나 원래 자기 안에 잠든 힘을 깨우는 걸세. 허나 이 계약에서는 주인이 될 자가 우선 매개체를 제시해야 해."

"매개체?"

히이로와 텐을 예시로 들자면, 우선 히이로가 뭔가 소지품을 제시하면 둘은 계약의 증표로 그 물건에 피 지장을 찍는다. 그리고 그 피를 통해서 생명력과 마력을 동시에 불어넣는다.

여기서 주의할 사항은 서로 완전히 동일한 양의 힘을 불어넣는 것. 그 후 주인이 될 자가 그 힘을 조화롭게 섞는다. 쉽게 말하면 합성하는 것이다. 잘 합성하면 정령은 그 그릇에 깃들 수 있고 주인의 힘이 되어 지원할 수 있게 된다.

"알겠어. 이 매개체에 서로 힘을 불어넣고 내가 잘 합성하면 계약이 성립한다는 거군?"

"그거네. 그리고 그 매개체가 계약자와 정령을 묶어주는 말뚝이 되네."

"실패하면?"

"음~ 뭐 운이 나쁘면 죽을 뿐이지. 아, 그리고 매개체는 소실돼."

은근슬쩍 무시무시한 소리를 내뱉었다.

'죽을 뿐이라고? 죽으면 다 끝이잖아…….'

하지만 잘 풀리면 정령의 힘이 손에 들어온다. 그게 고위 정령이라면 분명히 시험할 가치는 있을지도 모른다.

두 힘을 섞으려면 상당한 집중력이 필요할 것이다. 《적기》를 만들 때도 긴장을 풀 수 없었다. 하지만 《적기》는 어디까지나 나 자신의 힘이었다.

계약은 타인과 힘을 공유해야 하니까 《적기》 이상으로 난해할 것은 자명한 이치였다. 쉽게 계약할 수 없다는 까닭이 바로 이해됐다.

"이 말을 깜빡했구먼. 아무 물건이나 다 매개체가 되지는 못하네."

"응? 그래?"

"매개체는 정령이 정하는데, 대개는 주인이 애착을 가진 물건이거나 정령이 마음에 든 물건이지."

그 말을 듣고 일단 자신의 소지품에 어떤 것이 있나 되짚어 봤다.

"—그 칼이야!"

갑자기 소리를 지른 자에게 모든 시선이 모였다. —텐이었다.

모두의 의문을 대표해 호오즈키가 뜬금없이 웬 칼 타령이냐고 물었다.

"아니, 계약 이야기를 하고 있었잖아. 만약 내가 그 녀석이랑 계약한다면 그 칼이 좋아!"

아무래도 그가 지목한 것은 히이로가 허리에 찬 《절도 잔게키》 같았다.

"그 칼에서는 네 의지가 아주 진하게 느껴져. 그 칼이라면 나와 궁합도 좋아 보이고 말이야!"

"오호라. 텐은 이렇게 말하는데 자네는 어떤가? 시험해 보겠나?"

"그래도 잠깐만 기다려 봐."

또 텐이 이야기에 끼어들었다.

"왜 그러나?"

"이건 딱히 강제가 아니지?"

텐이 호오즈키에게 물었고 그도 분명하게 고개를 끄덕였다.

"당연하지. 그저 이중에서는 자네가 적임이라고 생각했을 뿐이야."

텐도 마주 고개를 끄덕이고 히이로를 바라봤다.

"나는 밖으로 나가서 천하를 주름잡고 싶어. 그래도 시시한 녀석에게 목숨을 맡기고 싶지는 않아."

텐의 눈을 히이로도 빤히 들여다봤다. 그 눈에는 진지했고 한 점 티 없이 맑았다.

"그렇다면 어떻게 하겠나?"

텐은 히이로를 손가락으로 척 가리키며 선언했다.

"네가 내 주인으로 어울리는지 이 자리에서 판단해주마! 그러니까 나랑 싸워, 안경잡이!"

그렇게 나왔나. 히이로는 마음속으로 납득했다. 텐의 말도 충분히 일리가 있었다. 누구든 별 볼 일 없는 자와 계약하고 싶지는 않겠지. 계약이란 그만큼 그들에게 무거운 의미를 가진다.

어차피 이 멍청해 보이는 원숭이는 앞뒤 생각 없이 계약하겠다고 나설 거라고 생각했는데 의외로 감탄할 부분이 있었다.

정령의 힘을 얻는 것은 기쁘다. 《마법 무효화》의 힘을 가진 정령 시시라이가와 싸운 후로 마법에 지나치게 의존하는 전투법에서 탈피하려고 쭉 돌파구를 찾고 있었다.

정령의 힘을 얻으면 큰 메리트가 있고 앞으로 싸움에서도 큰 도움이 될지 모른다.

'……선대 마왕.'

머릿속에 스친 아보로스라고 이름을 밝힌 선대 마왕. 그 녀석과 대치하고 느꼈다.

언젠가 자신은 그 자와 목숨을 걸고 싸울지도 모른다고.

그러니까 반드시 힘이 필요했다.

"……재미있군. 아주 걸레짝으로 만들어주지, 도둑 원숭이!"

한 사람과 한 마리의 시선이 부딪치며 불똥이 튀었다.

"싸우는 건 좋지만, 내가 만든 결계 안에서 하게."

호오즈키도 애당초 말릴 생각이 없는지 그렇게 말하고는 둘을 넓게 트인 장소로 데리고 왔다. 바닥에는 넓게 잔디가 자랐고 특별한 장애물도 없었다.

그리고 볼일이 있다며 떠났던 히메도 있었다. 그녀는 호오즈키에게 이곳에 온 이유를 물었고, 그 대답을 듣고는 어이없다는 양 히이로 쪽으로 한숨을 쉬어 보였다.

"인간이 계약이라니…… 그러다 잘못하면 죽는다?"

"닥쳐. 뭐가 됐든 내 힘으로 만들고 말 거야."

"오기 부려도 안 되는 건 안 돼."

"흥, 너희 상식이 어떤지는 몰라도 그런 건 내가 비틀어주겠어."

그게 설령 정령의 힘이라고 할지라도 못 할 이유는 없다.

호오즈키가 양손을 하늘로 들자 그 양손에서 연푸른 마력이 반구형으로 퍼졌다.

"이 안이라면 실력을 유감없이 발휘할 수 있겠지."

그의 설명에 따르면 이 결계 안에서는 부서진 곳도 순식간에 복원된다. 그러니까 주변 사정에 개의치 않고 싸워도 된다고 했다.

아무튼 싸우는 이상 질 생각 따위 없었다. 텐이 얼마나 강한지는 모르지만, 일단 시시라이가와 같은 고위 정령임을 염두에 두었다.

하지만 상대가 누구든 히이로에게는 만능의 힘 《문자마법》이 있다. 어떤 공격을 해 와도 판단만 그르치지 않으면 이길 수 있다.

그렇게 전투 분위기가 고조되는 가운데, 호오즈키가 놀라운 사실을 툭 내뱉었다.

"아, 참고로 결계 안에서는 마법을 못 쓰니까 그런 줄 알게."

……………………응?

솔직히 무척 당황스러웠다. 평소와 같은 포커페이스로 얼굴에 드러내지는 않았지만, 마법 없이 고위 정령과 싸우기는 불안했다.

한 번 싸운 적 있는 시시라이가와 동급인 존재.

물론 모든 고위 정령이 시시라이가처럼 강하다는 보장은 없지만, 그래도 스스로 싸움을 걸었다는 점으로 봐도 실력에 상당한 자신이 있는 것으로 보였다.

그런 상대와 마법을 못 쓰는 필드에서 싸워야 하는 가혹

한 상황.

시시라이가 같은 힘을 보유했다면 마법 없이 대체 무슨 수로 싸워야 하는가. 애써 침착한 척 머리를 굴려 봐도 답이 나오지 않았다.

'아직 《적기》를 써서 싸울 능력은 없는데…….'

만약 자유자재로 《적기》를 다루어 싸울 수 있다면 더 강해지겠지만, 아직 그 경지에는 도달하지 못했다.

"이거이거, 왜 이러시나! 혹시 쫄았냐?"

맞은편에 서서 히이로를 깔보며 웃는 텐에게 짜증이 났다.

"그럴 리가 있냐. 너를 어떻게 요리해 줄지 생각하던 중이다."

제법 허세가 함유되었으나, 약한 모습을 보여주는 것보다는 훨씬 나았다.

"이겨주세요, 스승님!"

"응응."

응원하는 닛키와 고개를 고속으로 끄덕이는 카뮤가 눈에 들어왔다.

"둘 다 준비는 됐나?"

호오즈키는 어쩐지 신이 나 보였다. 나이에 안 어울리게 이런 상황에 가슴 뛰는 소년 같은 마음을 가졌는지도 모르겠다.

히이로와 텐은 준비됐다고 답했다. 호오즈키가 크게 숨을 들이쉬고—.

"—시작!"

시합 개시를 선언했다.

히이로는 곧장 《절도 잔게키》를 칼집에서 뽑았다. 이렇게 된 이상 마력을 담은 참격으로 의식을 빼앗는 칼의 특성을 이용하는 수밖에 없었다.

"……이야, 칼에 마력을 담네?"

텐이 푸르스름한 마력이 덮인 《잔게키》를 물끄러미 바라봤다. 이로써 마력은 방출할 수 있다는 사실을 알았다. 어디까지나 마법이 효과를 발휘하지 않는 모양이었다.

히이로는 선공을 가져가려고 힘차게 땅을 차서 거리를 좁혔다.

"얍, 헛, 훅, 우끼!"

재빠르다는 것은 알았지만, 거기에 더해 면적이 작다는 점이 까다로웠다. 텐은 히이로의 연격을 어렵지 않게 피했다.

이 칼로 베면 상대의 마력을 흐트러뜨려 조금이라도 타격을 줄 수 있을 것이다.

상대가 약자라면 그대로 기절하겠지만, 고위 정령이라면 아마 움직임이 둔해지는 게 고작일지 모른다. 하지만 그래도 상관없었다. 둔해졌을 때 집중적으로 공격하면 해치울 수 있다고 판단했다.

히이로의 움직임을 파악하는 중인지, 텐이 날렵한 몸놀림으로 회피에 전념했다. 히이로도 나름대로 빠르게 움직이는

데도 불구하고 스치지도 않았다. 어쩔 수 없이 칼만 쓰지 않고 피한 곳을 발로 차 보지만 허무하게 피해 버렸다. 역시 원숭이…… 날렵하다.

심지어 피한 순간에 꼬리를 휘둘러 공격해 왔다. 맞아도 별일은 없겠지만, 상대는 정령이었다. 어떤 비밀병기가 있을지 몰랐다. 함부로 공격을 맞을 수는 없었다.

이번에는 히이로의 자세가 무너진 틈을 노려서 돌진해 오지만, 그대로 땅을 굴러 공격을 피했다.

'쳇, 생각보다 성가시군, 저 크기와 날렵함.'

그리고 서로 눈빛을 교환하다가 다시 히이로는 땅을 박차고 텐에게 칼을 휘둘렀다.

※

"빠, 빠르잖아, 인간 주제에……!"

놀라움을 담아 말한 사람은 히메였다. 설마 이런 결투가 이루어지리라고는 생각하지 못했고, 그 이상으로 놀라운 점은 히이로가 정령과 계약한다는 이야기였다.

지금까지 인간이 계약을 행한 적은 있지만, 대부분은 실패로 끝났다. 그리고 당장은 계약에 성공해도 결국은 완전히 제어하지 못하고 혼의 그릇이 서서히 부서져 정신이 붕괴했다.

히이로도 그런 이야기를 들었다고 했다. 그런데 흔들리지 않고 계약하려고 한다니 제정신인지 의심됐다. 게다가 다른 정령이라면 몰라도 텐을 계약 상대로 골랐다는 것은 정말로 어리석은 판단이었다.

평소 텐은 멍청한 짓을 벌이거나…… 아니, 멍청한 짓밖에 하지 않지만, 그래도 정령 중에서 자신과 비견될 만한 실력자였다. 보통 인간이 그 혼의 강인함을 견딜 수 있을 리 없고, 무엇보다 텐과 싸우는 것은 자살 행위나 다를 바 없었다.

처음 만났을 때 텐은 히이로에게 구속되어 있었지만, 정령은 바깥세계에서 힘이 현저히 제한되기 때문이며 이곳【스피릿 포레스트】에서라면 전력을 다할 수 있었다.

그 실력은 아무리 강자라도 인간이 마법 없이는 절대로 이기지 못할 수준. 텐도 그것을 알 텐데 왜 시험하려고 드는지 이해되지 않았다.

시험하나 마나 텐의 승리는 확정적이었다. 그래서 왜 이런 의미 없는 결투를 하는지 묻고 싶은 마음이 가슴을 가득 채웠지만, 눈앞의 광경을 보고 자기도 모르게 할 말을 잃었다.

칼을 뽑나 싶더니 무시무시한 속도로 텐에게 돌진한 히이로를 보고 그가 보통 실력자가 아님을 깨달았다.

그 날렵한 텐의 움직임을 예측하고 지금은 텐을 일방적인 수세로 몰아넣었다.

'단순한 인간이 아닌 줄은 알았지만…… 제법인걸.'

자신의 안목이 없었다고 인정하고 생각을 고쳤다. 히이로는 보통 인간과 비교하면 강자에 속했다.

게다가 그의 강점은 신체 능력보다는 그 관찰안, 다시 말해 통찰력이었다. 상대방의 움직임을 자세히 보고 거기에 맞춰 공격한다. 말은 쉬워도 그게 가능한 사람은 적었다. 아마 많은 역경을 헤쳐 나왔을 것이다. 그 전투 경험이 그를 받쳐주고 있었다.

"강하네요, 히이로 씨."

갑자기 자기에게 말을 걸었다고 생각해 돌아봤다. 님니아호였다. 즉시 한 걸음 물러나며 결례가 되지 않게 머리를 숙였다. 님니아호가 슬퍼하며 눈썹을 내리떴다.

"……히메, 나는 슬퍼. 정말로 예전처럼 대해줄 수는 없니?"

"……입장이 다르니까요."

그렇다. 입장이 다르다. 자신은 아무런 지위도 갖지 못한 단순한 정령이지만, 상대방은 요정을 이끄는 여왕. 어떻게 격식을 차리지 않겠는가.

그렇게 생각하는데 갑자기 양쪽 볼에 살이 맞닿았다.

"머, 머하흔 건가효?"

뭐하는 건가요, 라고 말하고 싶었지만 볼을 당기는 탓에 제대로 발음할 수 없었다. 하지만 그보다도 이것부터 말려야 했다.

"이, 인이하호 힘?"

그녀의 이름을 부르지만, 님니아호는 뚱한 표정으로 말했다.
"안 돼! 니아라고 불러!"
"하, 하히만……."
입장도 있는데 허물없이 대할 수는 없다. 자신도 가능하면 예전처럼 그녀의 이름을 부르고 싶다. 하지만 그러지 못할 이유가 있다. 입장이 있지 않은가.
하지만 진짜 이유는— 그녀를 시샘하기 때문에.
먼 옛날, 아직 【페어리 가든】과 【스피릿 포레스트】를 왕래할 수 있던 시절, 둘은 같은 시기에 이 세상에 태어났고 함께 손을 잡고 컸다. 마치 자매처럼 항상 함께 지냈고, 서로에 대해 모르는 것이 없다고 말할 수 있을 만큼 사이가 좋았다.
하지만 님니아호가 요정의 여왕으로 선택되고 입장에 확연한 차이가 벌어졌을 때, 가슴에 구멍이 뻥 뚫렸다. 그 구멍을 메운 것은 뜨거운 불이었다. 그리고 그 불은 점점 어둡고 차갑게 변해 갔다. 그게 질투라는 사실을 얼마 지나지 않아 깨달았다.
서로 왕을 목표로 했다. 가능하면 동시에 왕이 되고 싶었다.
그런데 그녀가 먼저 왕이 됐다. 어쩐지 자신을 두고 가 버린 기분이 들고 자신이 보잘것없게 느껴졌다.
입장이 바뀐다고 그녀가 태도를 바꿀 인물이 아니라는 것은 알고 있었다. 하지만 함께 있으면 싫어도 격차를 생각하게 됐다. 그래서 필요 이상으로 거리를 뒀고 태도도 서먹해진 것이었다.

호칭도 니아에서 님니아호 님으로 바꾸고 격식을 차렸다.

언젠가 자신이 왕이 되어 그녀를 따라잡을 때까지는…….

"죄, 죄송하지만…… 입장이 다릅니다."

볼을 놔줘서 자기 마음을 전했다. 그러자 그녀는 비통한 표정으로 자그마하게 「그래」라고만 말하더니 시선을 다시 히이로와 텐에게로 옮겼다.

그런 둘을 닛키가 신기하게 쳐다보는 줄도 모르고, 히메는 속으로 사과하면서도 똑같이 히이로와 텐에게로 고개를 돌렸다.

※

히이로는 생각 이상으로 날렵한 텐에게 연이어 혀를 찼다. 격렬하게 움직이고는 있지만, 이 정도로는 숨이 차지 않았다. 다만, 면적이 작고 속도에 완급을 주며 도망치는 상대를 잡을 수 없어서 점점 짜증이 쌓였다.

'후우, 안 돼. 조금 진정할까…….'

심호흡하고 마음을 가라앉혔다.

"헤이헤이헤이, 뭐야뭐야? 벌써 지쳤어, 안경잡이?"

……짜증 난다. 상대는 사람의 신경을 긁는 전문가 같았

다. 더는 상대방의 수작에 놀아나서는 안 된다.

"그래도 역시 그 칼은 좋아~. 그 칼에 베이면 나라도 좀 따끔하겠어~ 우끼끼!"

마치 장난이라도 치는 듯 즐거워 보였다. 실제로 아직 그는 진심을 다하지 않았으리라. 그건 이렇게 대치만 하고 있어도 똑똑히 전해졌다.

마법만 쓸 수 있었어도……. 하지만 안 되는 것을 알면서 고민해 봤자 무슨 소용인가. 지금은 당장 쓸 수 있는 수단으로 놈을 쓰러뜨릴 방법을 궁리해야 한다.

'속도는 더 높일 수 있어. 하지만 문제는 저 녀석이 아직 진짜 실력을 보이지 않았다는 거지.'

도발하듯 실룩대는 꼬리를 보자 반으로 갈라 버리고 싶은 충동이 치밀었다.

'게다가 고위 정령의 본모습은 인간형……이라고 했지. 그 힘을 꺼내기 전에 처리하는 게 최선인가…….'

주위를 돌아보고 쓸 만한 게 없는지 확인했다. 조금 앞쪽이지만, 나무가 선 곳을 보며 머리를 굴렸다.

텐이 아직 최고 속도를 보여주지 않아서 히이로도 힘을 숨기고 있었다. 상대를 생각대로 유도한 뒤에는…….

'……한번 해 볼까.'

고민하던 표정을 바로잡고 여전히 히죽대는 텐을 향해 달렸다. 당연히 텐은 멈춰 있지 않고 그 자리에서 튕겨 나가듯 이동했다.

칼을 휘두르나 텐이 화려하게 몸을 돌려 공격은 허공을 갈랐다.

"헤헹~! 안 맞지롱!"

득의양양하게 촐싹대는 텐을 냉정하게 바라보고 공격을 반복했다. 그러던 도중 텐이 왼쪽으로 뛰었다.

'그쪽은 안 되지!'

상대가 간 방향으로 투창처럼 칼을 던졌다.

"으악?!"

무기를 던질 줄은 몰랐는지, 텐이 놀라서 그 자리를 피했다. 그때를 노려 공격을 끊지 않으려는 듯 곧장 주운 돌을 던졌다.

"이번에는 돌이냐?!"

놀라기는 했지만, 이번에는 여유를 둬서 크게 뒤로 물러나 피했다.

히이로는 「좋았어!」 하고 뭔가 확신에 찬 표정을 짓더니 전속력으로 그곳에서 이동했다.

"으잉?"

히이로가 지금까지 보여주지 않았던 속도로 움직여서 텐은 순간 얼떨떨하여 굳어 버렸다. 그 직후, 등 뒤에서 큰 그림자가 텐을 덮쳤다.

"응? 으아아, 나무우우우웃?!"

갑자기 텐을 향해 거목이 쓰러졌다.

그것이 히이로의 의도였다. 텐이 거목을 등지도록 유도하고 전력으로 나무 뒤로 돌아가 칼로 베어 넘어뜨린다. 그것도 조금 오른쪽으로 빗겨나게. 그러면 텐은 아마도…….

"어이쿠?!"

이렇게 왼쪽으로 뛸 것이다.

"뭐, 뭐얏?!"

"방심하면 안 되지, 도둑 원숭이!"

도망칠 곳을 예측하면 공격을 적중시킬 확률이 크게 오른다. 그리고 계획은 정확하게 들어맞았고, 이제는 이 칼로 몸을— 베기만 하면 됐지만…… 칼에서는 바람 가르는 소리밖에 나지 않았다.

'……?! 어떻게 된 거지? 지금 그 녀석…….'

베지 못한 것보다 그 상황에서 빠져나간 방법에 경악했다. 그리고 하나 더, 마침내 해냈다고 해야 할까, 지금 눈앞에 있는 인물을 보고 경계심을 높였다.

"끼끼끽끼, 지금 건 위험했어. 이 모습이 되지 않았다면 솔직히 맞았을지도 몰라. 너, 제법 머리를 잘 쓰는데?"

그곳에는 히이로보다 약간 키가 작고, 미남이라고 부르기는 어렵지만 애교스럽고 장난기 있는 소년이 웃고 서 있었다.

'인간형인가…….'

노란 머리카락을 뒤로 넘기고 긴 뒷머리는 하나로 묶었으며, 이마에는 붉은 반다나를 맸다. 호기심 많은 눈이 인상적이지만, 붙임성 좋게 웃는 얼굴도 눈길을 끄는 소년이었다.

하지만 그런 모습보다 신경 쓰이는 점이 있었다.

"너, 하늘이라도 나냐?"

묻고 싶은 점은 그것이었다. 그때 확실히 처치했다고 생각했다. 공중에 있어서 움직일 수 없었을 텐을 정확하게 노렸다.

하지만 칼이 맞기 직전, 텐은 그곳에서 튕겨 나가듯 사라졌다. 마치 부스터라도 쓴 것처럼 순식간에 공중에서 이동한 것이다.

그래서 텐이 하늘을 자유롭게 이동하는 게 아닌가, 하는 의문이 들었다.

"아니, 나는 못 나는데? 그냥 **뛰었을 뿐**이야."

"……뛰어?"

"그래, 바로 이런 식으로."

그러면서 텐이 공중으로 가볍게 점프했다. 그를 놓치지 않게 눈을 떼지 않았다. 중력에 따라서 그대로 떨어지다가— 펑!

텐의 발아래가 푸르스름하게 빛나는가 싶더니 뭔가 작게 터지는 소리와 함께 제자리에서 다시 공중으로 뛰어올랐다. 그리고 떨어질 때마다 계속 공중에서 다리를 움직여서 다시 하늘로 올라갔다.

"편리하겠지, 이거~?"

이해했다. 이거라면 그때 사라진 것처럼 이동할 수 있겠지. 저 녀석은 하늘을 나는 게 아니라 공중에서 뛸 수 있었다. 본인이 말한 대로.

"……발에 마력을 모아서 순식간에 방출하는 건가……? 아니, 작은 폭발음으로 추측하면 마력을 폭발시켰겠군. 마력 폭발의 응용인가."

나쁜 버릇인지 좋은 버릇인지, 미지의 기술을 보면 반사적으로 분석에 들어갔다.

턱에 손을 대고 중얼거리는 히이로를 보고 땅으로 내려온 텐은 고개를 갸웃거렸다.

"야, 안 싸울 거냐?"

그 말에 헉, 현실로 돌아왔다. 다시 칼을 상대방에게 겨눴다.

"그렇군, 생각보다 훨씬 힘들겠어."

점점 상대에게서 허점이 사라졌다. 그에 비해서 이쪽은 마법을 쓸 수 없었다. 몇 가지 작전은 떠오르지만, 어느 것도 효과는 약할 것 같았다.

저 모습이 된 텐의 역량도 정확하게 파악하지 못했다. 하나 확실한 사실은 원숭이일 때와 달리…… 아니, 비교 자체가 무색할 정도의 위압감이 있다는 것이었다. 무시무시한 존재감이 느껴졌다.

아직 상대방은 전력을 다하지 않았는데도 불구하고 먼저 싸운 시시라이가와 같거나 그 이상의 압력을 느꼈다.

어떻게 공략할지 고민하던 때, 눈앞에서 텐이 사라졌다.

퍼뜩 뒤쪽에서 적의를 감지하고 순간적으로 몸을 숙였다. 그러자 공기를 찢는 소리가 머리 위를 스치고, 이대로 있으면 위험하다고 직감적으로 판단해 즉시 그곳에서 벗어났다.

"아까워라~. 인사 대신이었는데 피해 버렸네."

허를 빼문 얼굴이 열 받지만, 지금은 그런 걸 따질 때가 아니었다. 눈에 보이지 않는 속도였다. 지금 그건 허를 찔린 것이 아니라 단순히 보이지 않았다. 간신히 적의를 감지해서 피하기는 했지만…….

'심지어 이마저도 진심은 아닌 것 같군. 그 움직임에 《마법 무효화 능력》까지 있다고……? 어마어마하군.'

시시라이가도 빨랐지만, 텐은 틀림없이 그 이상이었다. 《천하무쌍 모드》라면 물론 밀리지 않겠지만, 기본 신체 능력으로는 솔직히 따라갈 수 없었다.

'인간형이 되면 이리도 다른가…….'

원숭이일 때와는 비교가 되지 않았다. 저 움직임으로 연속 공격을 한다고 생각하면 등골이 오싹했다. 뭔가 돌파구가 없을까…….

"……이봐."

갑자기 말을 걸어서 긴장했지만, 상대는 머리 뒤로 깍지를 낀 채 싱글싱글 웃고 있어서 그만 경계심이 풀릴 뻔했다.

"아직 《적기》도 제대로 못 다뤄? 보고 있으니까 안 쓰는 게 아니라 못 쓰는 것 같은데?"

"……글쎄? 방심을 유도하는 걸지도 모르지."

"으음…… 너라면 그러고도 남게 생겼지만, 그런 느낌이 아니란 말이지."

텐이 빤히 관찰하는 눈빛으로 바라봤다. 그러다가 히이로는 어떤 사실을 떠올리고 낭패라며 인상을 찌푸렸다. 상대가 《직시하는 종족》이란 것을 잊고 있었다. 자신에게 다른 수단이 없다는 것을 꿰뚫어 봤을지도 몰랐다.

"으음………… 뭐, 상관없나. 《적기》를 제대로 다루면 대등하게 싸웠을지 모르지만, 지금은 그걸로 됐어."

"……뭐?"

혼자 추측하다가 결론까지 내 버린 텐에게 반사적으로 되묻고 말았다.

"아니, 사실 이 모습이 될 때까지 내몰릴 줄 몰랐거든. 이대로 진심으로 붙어 봤자 의미는 없겠고……."

텐이 그렇게 말함과 동시에 갑자기 몸이 흐릿해졌다.

무심결에 눈에 힘을 주지만, 그 순간— 쉬쉬쉬쉬쉭.

텐의 분신이 주변을 가득 채웠다. 몸을 긴장시키며 주위를 확인했지만, 다 세지도 못할 만큼 많은 수였다.

"이걸로 평가해 줄게, 안경잡이."

"뭐라고?"

노려보면서 말하지만, 상대는 콧방귀도 뀌지 않았다.

"이 중에 본체가 딱 하나 있어. 그걸 맞혀 봐. 단, 공격 기회는 단 한 번뿐이야. 할 수 있는지 없는지…… 그걸로 판단하겠어.”

히이로는 제자리에서 한 명 한 명을 찬찬히 관찰했다. 하지만 아무리 봐도 진짜와 가짜가 구별되지 않았다.

“혹시 이 중에 가짜가 있다고 생각해? 그게 아니지. 전부 실체야.”

이게 전부…… 실체.

어쩐지 하나하나가 뚜렷한 존재감을 내뿜고 있었다. 아마도 균등하게 힘을 분배했으리라. 분신이라기보다 분열체가 맞는 표현일지 모르겠다.

“어디까지나 내가 말하는 건 본체, 바로 오리지널이야! 참고로 우리는 여기서 안 움직여. 그러니까 빨리 찾아봐. 아, 그리고 질질 끌 생각은 없으니까 시간은 10분만 주겠어.”

그만 하늘에 뜬 녀석들은 움직이지 않느냐고 따지려다가 그만뒀다. 그런 시비나 가릴 때가 아니었다.

‘이 중에 본체…… 어느 거지?’

전혀 분간이 되지 않았다. 공격 기회는 한 번뿐. 틀리면 아마 텐은 자신을 인정하지 않을 것이다. 그런 원숭이가 인정하든 말든 상관없다면 상관없지만, 얕보인 채로 끝낼 수는 없었다. 만약 그 사실이 리린에게 전해진다면 필시 놀림감이 될 것이다.

칼자루를 잡은 손에 힘을 꽉 주고 다시 한번 주위를 돌아봤다.

'좋다 이거야……. 이 승부, 반드시 이기고 만다.'

반드시 승리하겠다고 마음먹은 것은 좋지만, 이렇다 할 방법은 떠오르지 않은 채 시간만 흘러갔다.

"야~ 가만히 서서 뭐 하냐~?"

주위에서 원숭이 자식들이 재촉해 댔다. 지상뿐 아니라 공중에도 있어서 정말로 정신이 산만해졌다.

공격은 한 번뿐이라고 했다. 이 무리 속에서 딱 하나의 본체를 알아내기란 사막에서 바늘 찾기였다.

이렇게 가만히 있어도 해결될 것 같지 않아서 움직이며 확인했다. 어느 텐이나 우월감에 젖은 웃음을 짓고 있어서 속이 부글부글 끓지만, 마음을 달래며 자세하게 관찰했다.

그래도 어디서 어떻게 보나 전부 본체로밖에 보이지 않았다…….

'이딴 난해한 시련을 내놓다니…….'

아무리 눈을 부릅떠도 달라 보이는 것은 없었다.

"앞으로 8분~."

시간은 시시각각 흘러갔다. 이대로 가면 본체를 찾아낼 단서조차 찾지 못한다. 마법만 쓸 수 있으면 쉽게 판별되겠건만……. 새삼스럽게 마법의 고마움을 절실히 느꼈다.

"앞으로 6분~."

차츰 조바심이 났다. 그와 함께 눈을 굴리는 속도도 빨라지지만, 그런다고 딱히 의미는 없었다. 그리고 공중에 있는 녀석들이 마력을 폭발시켜 끊임없이 폴짝대는 통에 참을 수 없이 신경이 거슬렸다.

"스승님! 힘내십시오~!"

"응…… 히이로라면 할 수 있어."

닛키와 카뮤의 믿음이 등에 닿았다. 하지만 아무리 응원해도 시간만 흘러갈 뿐 대책은 나오지 않았다.

"어머, 이런 시련도 통과하지 못해서야 어떻게 정령을 부리겠어?"

비아냥거리는 소리가 등에 꽂혔다. 놀림당한 뒤끝이 아직 남았는지 히메는 냉소를 지으며 떠들었다.

"님니아호 님과 할아버지가 왜 당신을 눈여겨봤는지 몰라도 터무니없는 과대평가였구나?"

"앞으로 4분~."

히메의 말투에 더해 즐겁게 카운트다운을 세는 목소리 때문에 입꼬리가 경련했다. 여기서 폭발하면 정말로 단순한 어린애가 된다. 그래서 화를 삭이고 지금 해야 할 일을 우선하고자 걸음을 내디뎠다.

"으으음! 히메 공, 스승님을 우습게 보시는군요!"

"응? 뭐, 뭐야?"

갑자기 닛키가 고함쳐서 히메가 깜짝 놀랐다.

"히이로…… 무시하지 마."

카뮤도 응전해서 히메는 조금 당황한 모습을 보이면서도 받아쳤다.

"그, 그래도 저것 봐! 이제 시간도 없는데 이 상황을 타파할 단서조차 찾지 못한 눈치 아니야?"

그 말은 맞았다. 그래서 히이로도 반박하지 못한 것이었다.

"으~ 그래도 스승님은 어떻게든 할 겁니다!"

"해…… 히이로는 한다면 해."

두 사람의 압력에 밀려서 히메가 뒷걸음쳤지만, 말싸움은 물러나지 않았다.

"마, 말은 그렇게 해도 실제 상황이 어렵잖아. 이건 정령과 계약하기 위한 시련이야. 이세계인이라고 해도 안 되는 건 안 돼."

두 사람은 볼을 불룩하게 부풀리며 반항했지만, 히이로는 히메의 말을 듣고 다른 곳에 정신을 집중하고 있었다.

'……정령과 계약하기 위한 시련…… 정령이라…….'

히메가 한 말을 복창한 히이로는 조용히 칼을 넣고 눈을 감아 제자리에 섰다.

갑자기 눈을 감은 히이로를 보고 호오즈키는 짧게 감탄사를 흘렸다.

"히메."

"왜, 왜 그래, 할아버지?"

갑자기 호오즈키가 말을 걸어서 반사적으로 물었다.

"네게 항상 가르치지 않았느냐."

"……응?"

"포기하지 않으면, 반드시 광명이 보이는 법이라고."

그의 말에 히메는 대답하지 않고 뚱하게 입술을 내밀었다. 하지만 곧 입을 집어넣고 진지하게 히이로를 바라봤다.

왜냐하면 히이로에게서 상상을 초월하는 마력이 흘러나왔기 때문이리라.

"뭐, 뭐야, 이 마력……?!"

평범한 인간으로는 생각도 하지 못할 마력이 히이로의 몸에서 방출되어 결계 안을 뒤덮어 갔다.

"호호호, 아무래도 히이로는 우리 상상 이상의 힘을 가진 모양이로군."

"어, 얼마나 성장한 걸까요, 저 사람은……. 결계 밖에 있는 우리에게는 영향이 없지만, 이 정도 마력량이라면 안에 있는 텐 씨는 상당한 마압을 받고 있겠어요."

그렇게 말하는 님니아호의 얼굴도 경악으로 일그러져 있었다. 그 정도로 히이로의 성장은 놀라운 것이었다.

"마, 마력은 대단하지만, 이걸로 어떻게 본체를 구분할……앗?!"

"히메, 눈치챘느냐?"

호오즈키가 질문한 대로 히메는 히이로의 의도를 확실하게 이해한 듯했다.

"……응. 그래도 너무 무리하는 거 아니야?"

"호호호, 재미있는 소년이구먼."

히메의 눈빛은 더 이상 히이로를 깔보고 있지 않았다. 그저 조용히 그 행동의 결말을 지켜보려고 시선을 고정했다.

※

"—윽, 이게 다 무슨 마력이야?!"

분수처럼 방출된 마력에 온몸을 붙잡힌 텐은 소용돌이에 빠진 것처럼 숨이 막혔다.

'이건 고위 정령을 능가하는 마력량이잖아?!'

마력량으로는 정령이 어떤 종족보다 우월했다. 이들은 신체 자체가 마력으로 구성됐다고 말해도 과언이 아니었다. 그렇기에 그 방대한 마력량은 자랑스러운 장점……인데 정령보다 많은 마력을 내뿜는 인간이 있으니까 경악할 수밖에 없었다.

'게, 게다가 분열해서 개개의 마력량은 부족해. 이거 정말 위험한가?! 하지만…….'

텐은 마력을 방출하는 장본인을 똑바로 바라봤다. 이만큼 마력을 방출하려면 물론 내포한 마력도 많아야 하지만, 상당히 뛰어난 마력 제어 능력이 필요했다.

왜냐면 단순히 마력을 방출할 뿐 아니라 그 마력으로 분신을 하나하나 감싸서 본체를 판별하듯 훑고 있었으니까.

아무리 균등하게 마력을 나눠서 분열해도 오리지널은 마력을 만들어 내는 핵이 되는 부분이 있었다. 단, 겉으로는 알아낼 수 없고 만져도 본체인지 아닌지 구분하기 어려웠다.

하지만 상대의 몸에 마력을 흘려보내 면밀히 조사하면 본체에만 있는 차이를 깨달을 것이다. 그것이 마력을 생산하는 핵, 정령의 형태를 이루는 혼과 같은 부분이었다.

하지만 그건 방금도 말했다시피 정밀한 마력 제어 능력을 요구하며, 무엇보다 이만큼 마력을 방출하다 보면 언제 마력이 고갈돼도 이상하지 않았다. 상당히 무모한 수법임을 부정할 수 없었다.

'탈진해서 쓰러질 때까지 해 보겠다는 거야?!'

원래대로라면 움직이면서 조사를 피하겠지만, 움직이지 않겠다고 선언해 버려서 그럴 수 없었다. 자세히 보면 아직 모든 분신으로 마력이 퍼지지는 않았다. 자신(본체)에게도 아직 마력은 닿지 않았다.

과연 이대로 상대가 마력 방출을 유지할 수 있을 것인가, 아니면 도중에 힘이 다해 쓰러질 것인가…….

'헤헤, 재미있는데! 저 녀석의 근성을 확인해 볼까!'

※

굉장히 불리한 도박이었다. 하지만 이것밖에 떠오르지 않았다. 조금 더 시간이 있으면 다른 방법이 떠올랐을지도 모르지만, 더 망설일 시간도 없어서 행동하기로 마음먹었다.

정령과 계약하기 위한 시련— 히메의 말로 정령이 어떤 존재인지 떠올랐다.

정령이란 마법 그 자체, 혹은 마력 그 자체인 존재였다. 그래서 그 방대한 마력으로 몸을 구성한다고 해도 과언이 아니었다.

또 정령에게는 마력의 근원인 핵이 체내에 존재했다. 그것은 유일무이한 기관이라서 설령 분신을 만들어도 본체에 하나만 있으리라고 추측했다.

그래서 핵을 찾으려면 어떻게 하면 좋을까 고민했고, 이 결계 안에 있는 텐을 모두 마력으로 감싸서 조사하는 방법에 생각이 미쳤다. 마력은 마력에 반응한다. 이렇게 마력을 상대방의 몸에 흘려보내면 마력을 생성하는 핵이 반응할 것이다.

하지만 처음 해 본 이 작업은 여간 고되지 않았다. 마력 방출이라면 여러 번 해 봤지만, 이만큼 많은 마력을 한번에 방출하고 유지하며, 더군다나 마력을 움직여 조사하려면 어마어마한 집중력이 필요했다.

그에 비례해서 가속하는 허탈함과 피로. 조금이라도 긴장을 풀면 쓰러질 것 같았다. 이런 방법을 쓸 수 있는 이유도 넉넉한 마력량 덕분이었다.

'하지만 여유 부릴 수는 없어. 아직 전체를 다 덮지 못했어!'

이마에서 폭포처럼 땀이 쏟아져 어금니를 악물었다. 중력이 몇 배가 되어 몸을 짓누르는 듯한 부담을 느꼈다.

방금까지 시간을 세던 텐의 목소리가 들리지 않았다. 아마 텐도 이 전법에 느꼈기 때문이라고 판단했다. 그래서 이건 반드시 성공한다고 스스로 용기를 북돋웠다.

하지만 그때 무릎이 풀썩 꺾였다. 아직 안 된다. 지금 쓰러지면 다시는 일어날 수 없다. 그리고 그건 실패를 의미한다.

'그건…… 절대 안 돼!'

크게 숨을 들이쉬고…….

"우오오오오오오오오오오오오오오오오!"

마지막 한 방울까지 쥐어짜듯 온몸에서 마력을 끌어냈다. 그리고—.

'————————찾았다!'

무거운 발걸음으로 한 발짝씩 목표까지 다가갔다. 솔직히 말하면 걷고 싶지 않았다. 그냥 쓰러져서 잠들고 싶었다. 하지만…… 아직은 그럴 수 없었다.

차츰 상대의 얼굴이 시야에 들어왔다. 그 표정이 조금 전 여유작작하던 웃음이 아니란 사실을 알아차렸다.

파르르 힘없이 떨리는 손을 꽉 쥐고 없는 힘을 모아서 최선을 다해 휘둘렀다.

—착.

약한 소리가 텐의 뺨을 때렸다. 혹시 거기에 어떤 위력을 기대했다면 미안하지만, 그런 건 전혀 없었다. 그래도 틀림없이 공격은 명중했다. 이제 남은 문제는 그것이 진짜냐 가짜냐 하는 것뿐…….

확인하려고 한 순간, 급격하게 두 다리에서 힘이 빠졌다. 그래도 눈만은 앞에 있는 인물에게서 떼지 않았다. 텐의 입이— 픽 웃었다.

"……제법 하는데, 인간."

본체의 입이 그렇게 움직이고 기쁨의 미소를 지었을 때, 의식이 어둠 속으로 가라앉았다.

※

"저, 정말이야……? 이겼어?"

텐이 패배 선언에 가까운 말을 꺼내고, 승부가 판가름 나는 순간을 본 히메는 믿어지지 않는다는 얼굴로 두 사람을 바라봤다.

쓰러질 뻔한 히이로를 텐이 오른손으로 받쳐서 안아 들자 결계가 해제되었다. 장벽이 사라지기 무섭게 닛키와 카뮤가 히이로에게로 뛰어갔다.

"스, 스승님?!"

가벼운 한숨을 쉰 텐은 그 자리에서 히이로를 땅에 눕혔다. 울먹이며 분하게 자신을 노려보는 닛키에게 텐은 씁쓸하게 웃어 보였다.

"걱정하지 마. 이 녀석이 이겼으니까."

"……어?"

그러자 수많은 텐이 차례차례 사라졌고 지금 닛키의 앞에 선 텐 한 명만 남았다.

"이 녀석은 멋지게 나를 찾아냈어. 그러니까……."

"히이로…… 이겼어?"

카뮤가 무표정으로 입술을 움직였고 텐은 거기에 대답하듯 살짝 턱을 잡아당기며 말했다.

"그래. 축하한다."

"우와아아아! 다행입니다아아!"

잠든 히이로를 끌어안고 기뻐하는 닛키에게로 히메와 님니아호, 호오즈키도 다가왔다.

"호호호, 설마 그런 방법으로 시련을 통과할 줄이야."

주름을 잡으며 웃는 호오즈키 옆에서 히메는 살짝 비굴하게 인상을 쓰며 히이로를 내려다봤다.

'이 애, 뭐야? 그런 방법으로 텐의 시련을 돌파해? 이미 인간의 영역을 벗어났잖아.'

히이로는 평범한 인간은 흉내도 낼 수 없는 방법으로 시련을 돌파했다. 솔직히 히메는 보고도 믿어지지 않는 심정이었다.

그때, 텐의 몸이 펑 하고 흰 연기에 감싸이더니 원숭이로 돌아왔다.

"끼끽, 재미있는 녀석을 찾았구만!"

텐은 히이로의 얼굴을 내려다보며 활짝 웃었다. 그 기뻐하는 표정을 보고 히메는 왠지 모르게 떨떠름한 감정이 가슴을 스쳤다.

'뭐지? 설마 부러워서? 아니야, 그럴 리가 없어.'

히메의 표정을 보고 뭔가를 알아차렸는지, 호오즈키가 씩 웃음 지었다.

"히메, 너도 어떠냐? 히이로와 계약하는 건……."

화들짝 놀란 히메는 반사적으로 크게 한 발자국 물러섰다.

"무, 무슨 소리를 하는 거야, 할아버지! 애, 애당초 나는 평생 계약할 생각 따위 없어! 사람 같은 하찮은 생물이랑 누가 계약을 한다고!"

"흠, 그러냐?"

"그, 그래. 무, 물론 이 아이의 노력은 인정 못 할 것도 없지만…… 역, 역시 사람은 믿을 수도 없어. 그리고 이미 계약은 텐이랑 하기로 했잖아?"

속사포처럼 변명하지만, 호오즈키는 히죽거리는 입꼬리를

내리지 못했다.

“장난이야, 장난. 네 말대로 이 아이에게는 이미 계약 후보가 있지. 허나 계약도 궁합이 맞아야 해. 만약 텐이 안 된다면 그때는 네가 해 보는 건 어떠냐? 뭐, 실패한 반동을 받고도 히이로가 멀쩡했을 때의 이야기지만.”

은근슬쩍 무서운 소리를 했다. 일단 텐은 계약을 인정했지만, 계약 자체가 성공할지 어떨지는 아직 알 수 없었다. 실패하면 최악의 경우 죽음이 기다린다.

“되, 되지도 않을 소리를 왜 해! 그렇게 마음대로 갈아탈 수 있는 것처럼!”

“하지만 너, 방금 텐을 부럽게 바라보지 않았느냐?”

히메의 뺨이 확 붉어졌다. 그리고 그 얼굴을 아무도 못 보게 퍼뜩 고개를 돌렸다.

“아, 아아아아안 그랬어! 정말 나를 뭐로 보고!”

“호호호, 그런가? 헌데…… 확실히 히이로는 히메와 계약할 운명은 아닌가 보구먼. 음, 히이로에게는 텐이 잘 어울려.”

뒤에서 들리는 호오즈키의 말에 당연하다고 생각하면서도 무언가가 가슴을 따끔하게 찔렀다. 방금 텐의 기뻐하는 표정이었다.

실제로 정령은 혼자서도 살아가는 데 지장이 없다. 하지만 바깥세계에서는 현저히 힘이 제한되어 혼자서는 오랜 시간 바깥에 머물 수 없다. 그것이 정령의 상식이었다.

하지만 계약자가 있으면 함께 존재를 공유하고 함께 행동할 수 있으므로 바깥세계에서 자유롭게 활동할 수 있다.

하지만 역시 가장 좋은 점은 계약자와 신뢰로 이어지는 감각이다. 함께한다는 감각은 곧 정령의 기쁨으로 이어진다. 그래서 자연에서 태어난 정령들은 계약자가 나타나기를 갈망하고는 한다.

누구나 그 감각을 느끼고 싶어 한다. 하지만 계약자가 나타나는 경우는 극히 드물다. 특히 【스피릿 포레스트】가 바다 아래로 옮겨진 후로는 그럴 기회를 완전히 잃고 말았다.

그래서 히메도 그렇지만, 텐도 계약자가 나타나리라는 기대를 아예 포기하고 있었다. 하지만 님니아호가 어느 소년을 【페어리 가든】에 초대했다는 소식을 호오즈키에게 들었다. 그 소년은 인간이면서 요정에게 호감을 산 인물이라고 했다.

처음 봤을 때부터 텐은 그 소년— 히이로가 마음에 든 눈치였다. 호오즈키에게 계약 이야기가 나왔을 때, 아마 텐은 놀라우면서도 기뻤을 것이다.

하지만 고위 정령의 자존심 때문일까, 텐은 히이로를 시험하기로 했다. 사실은 그러지 않고 당장에라도 계약하고 싶었을 텐데……. 텐도 의외로 솔직하지 못하고 고집쟁이였다.

아마도 텐은 해결할 수 없는 난제를 제시해서 히이로의 기개를 확인하려고 했으리라. 불가능한 일에도 포기하지 않고 꺾이지 않는 마음을 보고 싶었던 것이다.

계약에는 무엇보다 강한 마음이 필요하니까. 하지만 예상과 달리 히이로는 아무도 생각하지 못한 방법으로 시련을 돌파해 버렸다.

이 자리에 있던 모든 사람이 기겁했다. 그리고 텐은 그 예상 밖의 사건을 기쁜 마음으로 받아들였다. 텐도 느꼈을 것이다. 히이로는 자신에게 어울리는 계약자라고.

그래서 그렇게 기쁜 표정을 보였던 게 틀림없다. 체념하던 계약자를 발견한 기쁨과 그 계약자가 예상 이상으로 강하다는 사실에 마음이 들떴으리라.

그런 텐의 얼굴을 보고 그를 축복하자는 마음 외에 희미한 질투가 고개를 내미는 것도 알아챘다. 자신은 아마 만날 일 없을 기적을 텐이 이루었다는 것이 기쁜 동시에 분한 감정이 스며 나왔다.

호오즈키가 놀림받아 입을 다물면서 아직 웃고 있는 텐을 바라보는데…….

"……안심하거라, 히메."

"……응?"

호오즈키가 다정한 눈빛을 보내며 미소 짓고 있었다.

"네게도 언젠가 반드시…… 반드시 운명의 사람이 나타날 게야."

"그, 그런 거…… 필요 없다고 했잖아……."

아니라고는 하지만, 목소리에는 힘이 실리지 않았다.

"호호호, 너는 언젠가 내 뒤를 이을 입장이야. 지금 내게는 계약자가 없지만, 너에게는 반드시 생길 게다. 그것도 머지않아서 말이야."

"그게 뭐야, 아무 근거도 없이……."

"호호호, 네게도 나타나. 너와 함께 살아갈 자가 분명히."

미소 지으면서 흰 수염을 쓰다듬는 호오즈키를 보고 자기도 모르게 한숨을 쉬었다. 하지만 그 말이 가슴속에 작은 불을 밝힌 것도 사실이었다.

"게다가 봐라, 의외로 저 둘 중에 히메의 주인이 있을지도 몰라."

두 사람이란 닛키와 카뮤였다.

"일단 저 둘이 이곳에 온 것도 네가 인정했기 때문이지 않느냐."

허가 없이는 이곳에 올 수 없으니까 그 둘에게 허가를 내린 것은 사실이었다.

"서두를 필요 없단다. 네 페이스대로 보고 판단하면 돼."

호오즈키의 말이 조용히 가슴속에 퍼져나갔다. 자기 페이스대로 보고 판단한다. 그렇다, 텐도 소년을 자기 나름의 방식으로 확인했다.

그렇다면 자신도 포기할 필요는 없을지 모른다. 언젠가 만날 계약자를 꿈꾸는 것은 결코 헛된 일이 아니라고 호오즈키는 알려주고 있었다.

'……그래도 저 둘 중 누군가는…… 절대 아니겠지.'

한 명은 어린애고 한 명은 여자 같은 남자. 어느 쪽이나 무인으로서 제법 뛰어난 자질을 가졌다고 느꼈지만, 그래도 소녀 같은 상식을 초월한 힘은…… 없어 보였다.

'음…… 그래도 저 아이…….'

두 사람에게 눈길을 보내고 생각에 빠진 듯 눈을 가늘게 뜨지만…….

'……착각이겠지.'

저 홀로 답을 내리고 고개를 저었다.

※

기절했다가 몇 분 후에 깨어난 히이로는 곧바로 계약 준비에 들어갔다.

필요한 것은 계약을 하기 위한 매개체인 《절도 잔게키》.

지금 두 사람 사이에 칼이 세로로 놓이고 자루 끝에 히이로가, 칼집 끝에 텐이 책상다리를 하고 앉았다.

"한 번 더 말하겠는데, 안경잡이…… 아니, 히이로였지."

"뭐야, 노란 원숭이?"

"노란 원숭이…… 몰라, 넘어가자. 확인할게. 지금부터 이 칼에 동시에 마력을 불어넣을 거야."

텐이 칼을 손가락으로 톡톡 치면서 설명했다.

"그 마력을 히이로, 네가 합성해. 즉, 두 마력을 혼합해서 하나로 통일하면 돼."

"듣기만 하면 별거 아니군."

말은 쉽다는 표현이 있는데, 딱 그런 상황이었다. 하지만 사실 그 행위는 난해함의 극치였다.

"그렇지~. 실패하면 반동으로 무슨 일이 벌어질지 모르지만~."

텐은 마치 남 일처럼 말하며 히죽거렸다. 주먹으로 닥치게 할까.

"텐, 뭘 남의 일처럼 말해? 실패하면 너도 소멸할지 모르면서."

히메의 말에 히이로는 그만 인상을 찌푸렸다.

"소멸? 그런 소리 처음 듣는데?"

들은 말은 어디까지나 계약자에게 주어지는 위험뿐이었다. 하지만 잘 생각해 보면 계약하는 정령에게도 위험 부담이 있다는 것은 쉽게 알아챌 수 있었다.

'생각이 짧았어. 하지만 이 녀석은 그래도 되는 건가……?'

텐은 그런 건 문제되지 않는다는 양 웃고 있었다. 조금도 두려워하지 않는 그 태도에 의구심이 들었다.

"응? 신경 쓰지 마, 그건 진짜 최악의 경우일 뿐이니까."

"……그런 위험을 알면서 용케 계약할 생각이 들었군."

"그야 나는 천재고 강하니까~. 그런 걸 일일이 신경 쓰면 좀생이 같잖아? 게다가 딱히 정체도 모를 녀석에게 목숨을 맡기는 것도 아니고."

텐이 히이로의 눈을 강하게 바라봤다. 그 눈동자는 한 치의 망설임도 두려움도 없이 수정처럼 맑았다.

"이래저래 겁은 줬지만, 나는 너라면 괜찮을 거라는 생각이 들어."

"……이상할 정도로 믿음을 샀군."

"당연하잖아. 누가 뭐래도 《직시하는 종족》인 내가 인정한 상대니까!"

텐이 브이 사인을 내밀며 웃었다. 솔직히 말해서 원숭이답게 무게라고는 없는 언동이지만, 어딘지 모르게 이 가벼움이 편안한 것도 사실이었다.

"그리고 너도 죽을지도 모르는 계약을 하려고 하잖아? 그건 어떻고?"

"뭐? 그건 나니까 괜찮아."

자신만만한 말에 텐뿐 아니라 히메와 호오즈키도 눈이 휘둥그레졌다.

"나는 이런 곳에서 죽을 인간이 아니야. 그러니까 실패할 리 없어!"

히이로는 뻔뻔하게 큰소리쳤다.

"우오오오오오! 역시 스승님입니다! 멋있습니다!"

"응…… 히이로, 남자다워."

닛키와 카뮤에게서 극찬을 받았다. 솔직한 마음을 말해줘서 살짝 기분이 좋았다.

"우캬캬캬캬! 그러냐, 그래! 역시 너는 재미있어!"

땅을 팡팡 치면서 폭소하는 텐에게 히메는 어이가 없다며 한숨 쉬고 따졌다.

"그 자신감은 어디서 오는 거람. 그리고 텐, 너는 너무 들떴어. 아직 계약도 안 끝났는데."

"우끼끼! 걱정 붙들어 매, 히메! 이미 다 안다고!"

"……뭘 알아?"

"우리는 절대로 실패하지 않는다는 거!"

히메는 어이없는 표정을 보이지만, 그 반응을 무시하고 텐은 칼끝에 손을 댔다.

"자, 후딱 해치워 버리자, 히이로!"

"너는 마력만 불어넣으면 끝이지. 고생은 내가 한다고."

"우끼끼, 그건 그래!"

히이로도 깊게 호흡하고는 조용히 칼자루에 손을 댔다.

공기가 한순간 팽팽해진 느낌이 들고 그곳에서 모든 소리가 사라진 듯 정적이 찾아왔다.

아무도 말을 꺼내지 않았다. 극도의 집중력이 요구되는 작업인 건 누구나 알기 때문에 두 사람 외에는 다들 조금 거리를 두고 상황을 지켜봤다.

히이로는 눈을 감고 손끝으로 칼로 마력을 불어넣었다. 동시에 텐이 닿은 칼끝에서 다른 마력이 흘러오는 것이 칼 너머로 전해졌다. 방금 싸움으로 힘을 뺀 덕분인지는 모르지만, 몸에 괜한 힘이 들어가지 않았다.

순수한 마력과 마력의 교류였다. 처음부터 이 상황을 내다보고 그 싸움을 제안했는지도 모른다. 지친 몸이 더 자연스럽게 계약에 임할 수 있으니까.

'……?!'

지금 칼의 중심에서 두 사람의 마력이 닿았다고 감각적으로 알았다. 텐의 마력이 어딘지 모르게 자신과 닮았다는 사실을 알았다. 아니, 궁합이 좋기 때문일까?

서로 닿은 순간 반발 작용이 일어날지 모른다고 각오했다. 처음에는 서로 놀란 것처럼 거부 반응을 느꼈지만, 지금은 조금씩 섞이고 있었다. 그것은 마치 커피 안에 우유를 넣은 것처럼 급속도로 합쳐졌다.

두 마력이 소용돌이처럼 하나가 되고, 그 순간— 눈부신 흰색 빛이 두 사람을 감쌌다. 몸 전체를 감싸는 따뜻한 빛을 느끼고, 칼에서는 살아 있는 심장의 고동 같은 충동이 전해졌다.

동시에 가슴속에서는 이미 하나의 생명이 느껴졌다. 온기가 깃든 그것에서는 자신의 심장을 다정하게 감싸는 감각이 전해졌다.

"—야, 눈 떠 봐."

텐의 목소리가 귀에 직접 들려 히이로는 천천히 눈을 떴다. 눈앞에는 텐이 기쁘게 웃으며 서 있었다. 하지만 하나 의아한 점이…….

"……내 칼 어디 갔어?"

어디를 둘러봐도 앞에 있었던 《절도 잔게키》가 보이지 않았다. 순간 실패해서 매개체인 칼이 소멸했나 싶었지만, 그렇다고 하기에는 몸에 아무런 이상이 없고 텐도 기쁜 표정을 짓고 있어서 그 생각이 틀렸음은 알았다.

그럼 칼은 대체 어디로 사라졌는가……?

"찾는 물건이라면 여기 있어."

텐이 자기 자신의 가슴을 엄지로 가리켰다.

"네 가슴……? ……야, 설마."

"그래, 지금 나와 잔게키는 하나가 됐어!"

놀라움은 일단 내려놓고, 현재 상황을 파악하려고 자세한 설명을 요구했다.

계약의 의식이 성공하면 매개체는 정령과 일체화한다. 그리고 매개체도 물론 정령의 능력을 겸비한다고 텐이 말하지만…….

"이봐, 허리가 허전해. 칼 내놔."

지금까지 쭉 차고 다니던 칼이 사라지니까 허전해서 참을 수 없었다. 실패가 아니라면 솔직히 돌려줬으면 했다.

"좋아, 그 점에 관해서도 설명할까!"

—텐에게 계약의 이점을 가만히 듣다가 설명이 끝나기를 기다렸다는 듯 다른 이들이 다가왔다.

"끼끼, 그 전에 칼을 돌려줄까."

갑자기 왼쪽 허리에 무게감을 느껴 확인하자 조금 전까지 없었던 《절도 잔게키》가 있었다. 딱히 변한 점은 없지만, 텐의 이야기에 따르면 이 칼은 이미 텐의 일부였다.

"아무튼 앞으로 잘 지내자, 히이로!"

그러면서 텐은 폴짝 뛰어 히이로의 어깨 위에 탔다. 그리고 건방지게 머리에 손을 얹고 톡톡 두드렸다. 갑자기 친한 척 구는 태도가 살짝 짜증 났다.

"……무거우니까 내려가, 노란 원숭이."

"노란 원숭이?! 이상한 별명으로 부르지 마! 그리고 어깨에 타 봤자 얼마나 무겁다고! 이미 우리는 주종 관계야! 아, 물론 내가 주인이고 네가 종복."

"웃기지 마, 노란 원숭이!"

일어나서 어깨에서 떨어뜨리려고 마구 흔들었지만, 갑자기 현기증이 나서 휘청거렸다.

그때 왼쪽 반신에 온기를 느꼈고 누군가 몸을 받쳐주는 사실을 알았다. 하마터면 넘어질 뻔한 히이로를 막아준 것은…….

"히이로…… 괜찮아?"

카뮤였다. 옆을 보니까 닛키도 불안하게 쳐다보고 있었다.

"걱정하지 마. 마력을 너무 많이 써서 어지러웠을 뿐이니까."

"우끼끼! 그래그래, 무리하지 마! 잠시 그쪽 아가씨, 가 아니라 도련님……도 이상하고…… 아, 몰라, 아무튼 그 애한테 부축해 달라고 해!"

텐이 말을 머뭇거린 심정은 굉장히 공감이 갔다. 카뮤는 아가씨가 아니다. 부르려면 도련님이 맞다. 하지만 아무래도 외모가 도련님과 거리가 멀어서 부르면 괴리감이 든다.

부축받으면서 일단 탁상이 있는 곳으로 다 같이 돌아왔다.

거기서 눈에 들어온 것은 님니아호와 그녀의 어깨에서 기분 좋게 잠든 오른이었다.

"우후후, 오랜만에 즐거운 시간을 보내고 지쳤나 봐요."

님니아호 말대로 이곳에 온 오른이 신나게 떠들던 모습을 떠올렸다.

"여러분께 감사드려요. 특히 히이로 씨에게는."

"마음에 두지 마. 빚으로 달아두겠다고 했지? 그거면 됐어."

"네, 감사해요. 이 은혜는 언젠가 갚을게요."

아름답게 웃는 그녀는 남자의 눈길을 강제로 빼앗을 정도로 투명하고 매력적이었다. 여자라면 틀림없이 질투할 영역이겠지.

호오즈키가 사람들의 얼굴을 한 번씩 돌아본 뒤, 곧 게이트가 닫힐 거라고 얘기했다.

게이트는 히이로 일행이 이곳에 올 때 쓴 공간의 균열. 닫히면 다시 열릴 때까지 오랜 시간이 걸린다고 했다.

'애초에 그걸 계속 열어 뒀었어?'

그리고 하나 더, 【페어리 가든】과 이어진 통로도 한 번 닫아야 한다고 했다. 그 말을 들은 히메의 표정에 그림자가 드리웠다. 그리고 원래 있던 곳으로 돌아가야만 하는 님니아호도 그녀의 얼굴을 보고 쓸쓸하게 눈을 내리떴다.

"저 둘…… 친한 친구 같아."

누가 물어보지도 않았는데 카뮤가 귀띔하듯 작은 목소리로 말했다. 카뮤는 그 둘의 관계를 호오즈키에게 들었다고 했다. 주로 물어본 사람은 닛키였지만.

'그렇군. 입장이 있으니까 감정을 억누르는 건가…….'

하찮은 데 얽매인다고 생각하면서도 사람마다 생각이 있는 것도 사실이었다. 연관되면 귀찮으니까 가만히 있는데 닛키가 두 사람에게 눈길을 보내는 것이 보였다.

눈을 찌푸리며 뭔가 말하고 싶은 얼굴이었다. 왜 그렇게 저 둘을 신경 쓰나 하고 고개를 갸웃거렸다.

"그래도 안심하게, 님니아호. 게이트는 한 번 닫히지만, 또 열 수는 있어. 히이로 덕분에 말이네. 시간은 걸리겠지만."

"……네."

님니아호는 위로하는 말에 제대로 미소로 대답하지만, 진심으로 기뻐하는 눈치는 아니었다. 역시 히메와의 관계가 가시처럼 마음에 박혀 있는 듯했다.

"으음, 저리 보여도 히메는 솔직하지 못하니까~."

텐이 어깨를 으쓱이며 말했다.

"저리 보여도? 어떻게 봐도 솔직하지 못하다만?"

"우캬캬! 그거 말 되네! 히메는 고집불통 벽창호에 바보니 그헤엑?!"

탁자 위에서 깔깔거리며 떠들던 텐은 히메가 던진 의자를 맞고 날아갔다.

'저 녀석도 학습할 줄 모르는군…….'

그렇게 큰 소리로 말하면 이렇게 될 게 뻔하지 않은가. 그러고 히메는 아차 싶어서 님니아호를 향해 머리를 숙였다.

"또, 또 뵙기를 기대할게요."

히메는 그 말만 하고 떠나려고 하지만…….

"……응?"

히메가 걸음을 멈췄다. 아니, 멈춰야만 했다. 왜냐하면 그 앞에는 양팔을 크게 벌리고 막아선 닛키가 있었으니까. 무슨 의도일까…….

"저기…… 무슨 볼일이라도?"

히메가 곤혹스럽게 물었다.

"이대로 헤어지면 안 됩니다!"

야야, 바보 제자, 너 뭐 하냐? 하고 무심결에 마음속으로 물었다.

모두 닛키의 행동에 할 말을 잃고 굳어 버렸다.

하지만 닛키는 주변의 감정 따위 무시하고 입술을 삐죽 내밀어 힘찬 눈동자로 히메를 응시했다.

"……너, 대체 왜 이러는 거야?"

히메는 애써 냉정한 태도를 유지했다.

"이대로 마음에 응어리를 남긴 채로 헤어지면 안 됩니다!"

히메의 얼굴에 선명한 당혹감이 보였다. 하지만 곧 감정을 추스르고 여유로운 표정으로 덧씌웠다.

"……이 애가 무슨 소리를 하는 거람. 애초에 너는—."

"그렇지만—."

히메의 말을 자르고 닛키가 말했다.

"그렇지만 만약 다시는 만나지 못한다면, 엄청엄청 후회할 겁니다!"

히메는 충격을 받은 것처럼 눈을 동그랗게 뜨고 입술을 약하게 떨었다. 그에 비해 닛키의 눈동자는 어딘지 모르게 슬픈 빛을 띠었고, 그 눈을 본 히이로는 어떤 사실을 떠올렸다.

'저 녀석…… 그때 일이 생각났나.'

그건 닛키와 처음 만났을 때의 일. 그녀에게는 가족이 있었다. 부모에게 버림받았을 닛키를 주워서 키운 것은 뱀부 베어라는 몬스터였다.

부모 뱀부 베어와 닛키랑 친하던 잇키라는 어린 뱀부 베어. 그들은 종족의 벽을 넘어 아주 사이가 좋았다.

하지만 흉악한 몬스터의 습격으로 닛키는 가족을 잃고 말았다.

"……하하, 저, 저기 있잖아? 너는 아직 어려서 이해하기 어렵겠지만, 나는 공사 구별을 중요하게 생각해. 그러니까 내가 대등해지기 전까지는……."

"그 공사란 게 소중한 사람보다 중요한가요?"

"……?!"

어른에게는 어른의 사정이 있다고 얼버무리려고 했으나, 반론할 수 없을 정도로 올곧은 주장에 마주하자 히메는 말문이 막혀 어금니를 깨물며 살짝 짜증을 드러냈다.

"……비켜."

"싫습니다!"

"비키라고 하잖아!"

그 순간, 히메에게서 무서운 기백이 터져 나오며 닛키를 집중적으로 압박했다.

역시 『정령왕』의 직계인지, 그 패기를 직접 받지 않은 사람까지 영향을 줬다. 카뮤는 경계해서 닛키를 구하러 가려고 하지만, 그 직전에 히이로가 그만두라며 제지했다.

카뮤는 왜 말리냐는 의아한 얼굴로 돌아보지만, 히이로는 일단 두고 보라는 말 말고는 하지 않았다.

한편, 닛키는 그 패기를 정면에서 받아 몸이 떨리고 얼굴이 창백해졌다. 정신적으로 피해를 받은 것은 한눈에 알 수 있었다. 그래도 닛키는 그곳에서 비키려고 하지 않았다.

"……왜, 왜 그렇게까지?"

히메는 동요했다. 왜 이렇게 막아서는지 이해되지 않겠지. 그녀는 당황한 자신과 대조되게 닛키의 흔들리지 않는 의지를 느끼고 뒷걸음쳤다.

그런 가운데, 히이로가 푹 한숨 쉬었다. 아주 조금, 제자를 도와주고 싶은 변덕이 일었을 뿐이었다.

"……이봐, 뱀녀."

"배, 뱀녀……? 뭐, 뭐야?"

노골적으로 불쾌하게 눈살을 찌푸리지만, 상관하지 않고 입을 움직였다.

"그 녀석은 바보지만 가끔 바보 같지 않은 소리를 해."

"……뭐, 뭐어?"

"자기가 옳다고 생각하면 누가 뭐라고 하건 우직하게 밀어붙여. 그 녀석에 관해서 조금만 알려주지. 그 녀석은 어떤 녀석과 굉장히 사이가 좋았어. 하지만 어느 날, 아주 사소한 일로 말싸움을 하고 잠시 말도 나누지 않았지."

히메뿐 아니라 히이로의 이야기에 모두 귀를 기울였다.

"쓸데없이 고집을 부리고 조만간 화해하겠거니 생각하면서. 하지만 그 녀석과 더는 말을 나눌 수도 없게 됐어."

"……! 그, 그건 설마……."

"그래. 어떤 사건이 있었거든. 그 녀석은 그때 죽었어."

할 말을 잃고, 무슨 말을 해야 좋을지 몰라서 히메는 고개를 숙였다. 그건 히메뿐 아니라 님니아호와 호오즈키도 마찬가지였고 비통한 표정을 짓고 있었다.

"바보 제자와 그 녀석은 앞으로 평생 화해할 수 없게 됐지. 괜한 고집을 피운 결과야."

다만, 잇키가 죽은 이유는 닛키를 지키기 위해서였다. 사건이 일어나기 전에 싸웠지만, 잇키와 닛키는 화해할 필요도 없이 이미 서로를 용서했다는 것을 그 자리에 있던 히이로는 알고 있었다.

하지만 그때의 슬픔과 괴로움은 아직 어린 닛키에게는 심장에 칼이 들어오는 고통이었으리라. 그렇기 때문에…… 그 고통을 알기 때문에, 같은 행동을 하는 히메를 보고만 있을 수 없었던 것이다.

"공과 사가 어쩌고 말했지? ……중요한 일이긴 하겠지, 너한테는 말이야. 하지만 나나 그 녀석은 그게 정말로 지켜야 할 만큼 소중한 것인지 몰라. 그 녀석은 네가 그저 지금 가장 중요한 것을 우선했으면 할 뿐이야."

히이로는 천천히 의자에서 일어나서 닛키에게 다가갔다. 그리고 그녀의 열린 눈을 감겨주고 두 팔로 안아 들었다. 카뮤는 그 상황에 놀란 것 같았다. 닛키가 아무런 반응도 하지 않는 게 이상했겠지.

히이로는 닛키를 안은 채 히메의 옆을 지나며 말했다.

"네가 어떤 답을 내든 나한테는 아무래도 상관없지만, **기절하면서도 막아선** 이 녀석의 의지만은 무시하지 마."

히메의 기백을 온몸으로 받았을 때부터 닛키는 의식을 잃은 상태였다. 그래도 쓰러지지 않고 서 있었던 것은 틀림없이 그녀의 강한 의지 덕분이었다.

히이로는 히메를 살짝 노려본 뒤 호오즈키에게 시선을 돌렸다.

"이봐, 우리는 이제 갈 거야. 꽤 오래 있었어. 저쪽에서 소란이 벌어지면 귀찮아."

"……그렇겠구먼."

호오즈키는 고개를 끄덕이고 어느샌가 탁자 위로 돌아온 텐에게 눈짓했다.

"뒷일은 네게 맡겨도 되겠느냐?"

"우끼끼! 나만 믿어!"

"그리고……."

"엥?"

"잊고 있었지만, 다음에 돌아오면…… 아까 말한 벌을 받을 줄 알아."

"히익! 우, 우, 우키이이이이이이!"

아무래도 텐이 히이로에게 장난을 친 벌을 잊지 않은 모양이었다. 텐은 이대로 유야무야되기를 기대했겠지만, 그렇게 쉽게 넘어갈 수는 없었다. 두려움에 떨며 쏜살같이 숲속으로 도망치는 새끼 원숭이의 모습은 가련할 따름이었다.

호오즈키가 통쾌하게 웃고는 다시 히이로에게 시선을 돌렸다.

"고마웠네."

"……뭐가?"

"이것저것 많이. 게다가 그 아이도."

호오즈키는 상냥한 웃음을 짓고 있는 닛키에게 눈길을 보냈다. 히메를 위해 나서줘서 고마웠을 것이다. 정작 본인은 등을 돌린 채로 말이 없지만.

"히이로 씨, 또 뵈어요."

"기회가 되면."

"우후후, 아쉽지만 오른은 이런 상태라서 인사를 못 드리겠네요."

오른은 그녀의 어깨 위에서 침을 흘리며 편안하게 잠들어 있었다.

"조용해서 오히려 좋아. 그럼 간다."

카뮤도 뒤로 따라붙고, 텐이 도망친 곳을 보며 똑바로 그를 쫓아 걸음을 내디뎠다. 하지만 그때―.

"―기다려!"

뒤에서 목소리가 들려 히이로는 발을 멈췄다. 그 목소리는 틀림없이 히메였다.

"……뭐야?"

닛키를 안아 들고 돌아봤다.

"……이, 이름……."

"뭐?"

히이로가 반문하자 얼굴이 새빨개져서 손가락을 내밀었다.

"이, 이름 말이야! 그 애 이름!"

"……자기소개는 했을 텐데?"

"으……."

기억나지 않는다는 뜻이었다. 히메는 겸연쩍게 입술만 실룩거렸다.

"……후우, 이 녀석은 닛키야."

"그, 그래……. 닛키…… 닛키……."

히메가 다가와서 닛키의 작은 손을 두 손으로 다정하게 감쌌다.

"정말로…… 건방지다니까…… 이렇게 조그만 주제에."

말과는 달리 히메의 표정은 어딘가 후련해 보였다. 그리고 그녀는 자기 머리카락 한 다발을 묶은 흰 리본을 풀어서 닛키의 손에 감았다.

"…………고마워."

거의 입만 벙긋거린 말이었지만, 희미하게 뭐라고 말하는지 알아들었다.

'흠, 이 녀석도 이렇게 웃을 수 있군.'

그 웃음이 지금까지 본 그녀의 어떤 표정보다 풍부하고 매력적으로 느껴졌다.

"너, 그런 식으로 웃을 수 있으면 처음부터 웃어. 그게 훨씬 나아."

그런 솔직함을 전면에 내세우는 편이 좋은 인상을 준다.

하지만 히이로의 말을 듣고 히메는 얼굴이 홍당무처럼 빨개졌다.

"뭐, 뭐뭐뭐뭐뭐뭐라는 거야! 나, 나를 꼬시는 거야?! 미, 미, 미리 말하겠는데 나는 그렇게 쉬운 여자가 아니야!"

턱이 빠질 듯 입을 뻐끔거리고 소리치지만…….

"……무슨 소리 하냐, 너?"

무슨 말을 하는지 전혀 이해할 수 없었다.

어떻게 해석하면 그 말이 유혹처럼 들릴까……?

"어……?"

히이로가 무표정하게 대꾸하자 어리둥절한 태도로 얼어붙었다.

"아, 아아, 몰라! 어쨌든!"

그러고 잽싸게 몸을 돌려 님니아호가 있는 방향으로 돌아섰다.

"그, 저, 그게…… 죄송해요! 아니, 미안!"

갑작스러운 사과에 님니아호는 어떻게 반응해야 할지 몰라 눈에 보이게 당황했다.

"그, 그게…… 요, 용서해 줄래…… 니, 니아?"

그러자 님니아호가 표정을 확 밝아지며 활짝 꽃이 피듯 기쁜 얼굴을 보여줬다.

"히메…… 아니야. 그 말만 들어도 기뻐, 히메."

그녀의 눈에 맺힌 눈물이 똑똑히 보였다. 어지간히 기뻤나 보다.

'바보 제자도 기절한 가치는 있었군.'

가만히 감동적인 장면을 구경할 이유도 없어서 히이로는 걸음을 내디뎠다. 눈앞에 몰래 나타난 텐이 빨리 오라고 재촉하듯 손짓하고 있었다. 그렇게 벌 받기가 무서운가, 빨리 이곳을 떠나고 싶은 모양이었다. 그때, 뒤에서 히메의 목소리가 들렸다.

"히이로 오카무라! 다음에 만났을 때는 반드시 나를 인정하게 될 거야!"

딱히 나한테 인정받을 필요는 없잖아, 라고 내심 생각하면서 무뚝뚝하게 앞으로 나아갔다. 이제 이 환상적인 공간은 당분간 못 보겠거니 생각하며 앞장선 텐을 바라봤다.

'이상한 동행까지 생겼어……'

개는 닛키, 꿩은 미카즈키, 그리고 원숭이는 텐. 뭐, 닛키는 강아지처럼 사람을 잘 따른다는 것뿐이지만.

'무슨 모모타로[#1]인가……'

어쨌거나 새로운 힘을 얻은 것은 솔직하게 기뻐할 일이었

#1 모모타로 일본의 설화. 주인공 모모타로가 개, 원숭이, 꿩과 함께 오니를 퇴치하는 내용.

다. 묘한 인연이 생기기도 했지만, 그래도 이번 만남은 얻을 것이 있었으니까 좋게 생각하기로 했다.

'……설명하기 귀찮은데.'

리린, 특히 시우바에게 설명하기 귀찮다고 고민하면서도 아름답고 환상적인 공간, 정령이 사는 곳—【스피릿 포레스트】를 뒤로했다.

"—그래? 성에 없다고 들었는데 그런 곳에 있었나."

히이로 일행은 【스피릿 포레스트】에서 무사히 【마국 하아스】로 돌아왔다. 곧장 숙박용으로 빌려 쓰는 마왕성의 일실로 왔는데 히이로 옆에 낯선 동물이 있으니 당연히 리린이 추궁해 왔다.

그래서 대략적으로 설명하자 리린은 납득하는 반응을 보였다.

"그렇게 됐으니까 잘 부탁해, 아가씨!"

리린과 샤모에는 말하는 원숭이에게 놀란 눈치였지만, 시우바는 같은 정령이라서 큰 감정 변화가 없었다.

"설마 정령과도 계약하다니. 음, 역시 내 부하야! 크하하하하하!"

리린에게는 좋은 일인지 유쾌하게 반응했다. 리린은 히이로를 부하로 여겨서 시키지도 않은 짓을 했다고 화낼지도 모른다고 생각했는데 귀찮은 소리를 하지 않아서 안심했다.

"하지만 하필 골라도 이런 땅딸막한 원숭이를 골랐나. 더 강해 보이는 녀석은 없었나?"

"뭐?! 아가씨, 지금 뭐랬어! 나는 이래 봬도 격이 높은 정령이라고! 그리고 땅딸막한 건 아가씨도…… 잉?"

텐이 말을 잇지 못한 것도 당연했다. 왜냐면 리린의 뒤에서 시커먼 오라가 피어올랐고, 그것이 명확한 살의가 되어 텐을 위압했으니까.

"뭐라고 말했나, 원숭이? 아니면 가죽을 벗기고 볕에 말려서 수분을 날려줄까?"

"우꺄아아아아?! 아, 아아아아아뇨아뇨아뇨아뇨아뇨, 당치도 않습니다!"

텐이 조그만 몸을 부들부들 떨면서 매달리듯 히이로 뒤로 숨었다.

"히, 히이로! 저 아가씨는 뭐야! 엄청 무섭잖아!"

흉악한 표정을 지은 리린에게 들리지 않게 목소리를 죽여 말했다.

"뭐냐니, 여기 돌아오기 전에 말했잖아? 상식이 안 통하는 존재라고."

"마, 말 안 했어! 뭐 저런 애가 있어, 호오즈키 할아버지랑 같은 오라를 내뿜잖아?! 무지막지 무서워!"

히이로는 말하지 않았나 하고 고개를 갸웃거리고 자기는 알 바 아니라는 식으로 소파에 앉아 책을 펼쳤다.

"아, 아무튼 저건 위험해! 절대 거스르면 안 되는 녀석이야! 저 눈은 진짜 위험해……. 방심하면 나는…… 나는…… 진짜 건어물이 된다고!"

귀신처럼 뒤에 붙어서 주절대지 말아줬으면 좋겠다.

그 모습이 귀여웠는지, 리린의 시녀인 덜렁이 메이드 샤모에 아닐과 지금은 히이로의 마법으로 인간형(어린 여자애)이 된 라이드 피크라는 몬스터 미카즈키가 귀엽다고 말하며 텐을 안아 보려고 다가왔다.

어쩌면 싫어하지 않을까 생각했지만…….

"이야~ 이놈의 인기 좀 봐~ 우키키~."

대환영 같았다. 텐은 전혀 의식하지 않는 모양이지만, 샤모에의 커다란 가슴에 안긴 그를 보고 한 남자가— 한 변태가 가만히 있지 않았다.

"으오오오오오오오! 무, 무슨 부럽, 경박한 짓을!"

충혈된 눈으로 콧김을 씩씩거리며 흥분한 위험한 녀석, 시우바가 소리쳤다.

"테, 텐 님! 그건 아무리 텐 님이라도 용서할 수 없습니다! 부러워서 봐줄 수 없군요!"

"시끄러워, 닥쳐, 변태 영감. 욕망이 그대로 새어 나오잖아."

사람이 책을 읽는데 시끄러워서 못 살겠다.

"끼끼! 아, 그러고 보니 네가 시우바 플루티스구만? 할아버지한테 들었어. 아 참, 할아버지가 만나고 싶어 하던데 아직 돌아올 생각은 없어?"

"……예."

웃음은 거두지 않았지만, 시우바의 눈동자에서는 웃음기가 느껴지지 않았다. 눈 깊은 곳에 무엇을 숨기려는지 모르지만, 자신이 캐물을 일은 아니라고 히이로는 판단했다.

텐도 빤히 그의 얼굴을 본 뒤, 쾌활하게 씩 웃었다.

"……뭐, 본인이 그렇다면야! 그 할아버지가 쉽게 죽을 리도 없고, 언젠가…… 만날 생각만 있으면 됐어."

"……감사합니다."

그 감사는 무엇에 대한 감사일까……. 함부로 캐묻지 않은 텐의 배려일까, 분위기를 바꿔준 기지일까, 아니면…….

"우끼끼, 일단 다시 자기소개를 하지! 나는 텐이야! 앞으로 잘 지내자!"

"그래, 잘 지낼 수 있을지는 네놈 하기 나름이지만. 크크크."

"히, 히이이이익?!"

또 리린의 압박에 텐이 공포에 떨었다. 트라우마가 되니까 그만하라고 말하고 싶었다. 하지만 리린이 문득 닛키의 손에 주목했다.

"음? 닛키, 그건 뭐지? 붕대? 아니, 리본인가. 처음 보는군."

닛키의 오른쪽 손목에 리본이 둘둘 감겨 있었다.

"처음 느끼는 마력이 담긴 것 같은데……."

역시 리린은 눈치가 좋았다. 이건 닛키가 히메에게 직접 받은 리본이었다. 정령이 몸에 달고 있던 물건이기도 해서 단순한 리본일 리는 없었다.

그것을 깨달은 혜안에 감탄했다.

"으음? 이거 말씀인가요? 으흐흐~ 이건 말입니다."

닛키가 기뻐하며 설명하기 시작했다. 왜 이렇게 기뻐하느냐면 자신이 기절한 뒤 있었던 이야기를 카뮤에게 들었기 때문이었다.

일단 닛키가 잘못된 길로 들려는 히메를 돕기는 했다. 히메는 거기에 감사하며 그 증거로 닛키에게 리본을 감아줬다.

닛키는 그 리본에서는 무척 다정하고 따스한 마력이 전해진다고 했다. 그리고 무엇보다 히메가 자신을 인정해 준 것이 기쁘다고도.

"호오, 그것도 정령에게 받은 물건인가……. 쳇, 나도 갔으면 좋았을 것을."

리린은 어린애처럼 입을 삐죽 내밀지만, 그곳은 정령이 허가하지 않으면 들어갈 수 없는 공간이었다. 척 보기에도 흉포한 리린은 애초에 못 들어가지 않았을까, 라고 생각한 것은 히이로만의 비밀이었다.

"그건 그렇고, 아가씨."

"음, 그랬지, 시우바."

시우바의 말을 듣고 리린이 진지한 표정으로 히이로를 봤다.

"히이로, 너에게 할 이야기가 있다."

"—뭐? 누구랑 만나줬으면 하니까 따라오라고?"

리린이 히이로에게 한 이야기는 그녀의 지인과 히이로를 만나게 하고 싶으니까 동행해 달라는 내용이었다.

"귀찮아, 싫어."

히이로는 단칼에 거절했다.

"후우, 그럴 줄 알았지."

리린은 예상하던 대답이 돌아왔는지 골치 아프다며 고개를 설레설레 저었다.

"애당초 내가 만나러 갈 필요를 못 느껴."

"히이로 님, 이 나라에 오고 잠시 우리가 나라 밖으로 나간 적이 있지 않습니까?"

시우바의 말대로 그런 일이 있었다. 듣기로는 리린은 나라 어딘가에 있을 친구를 쭉 찾고 있다고 했다. 그 사람을 마침내 찾은 모양이었다.

"얼마 전 그분을 찾아서 우리에게 힘을 빌려 달라고 부탁했으나, 이야기를 나누던 중에 그분이 히이로 님께 관심을 보이셨지요. 꼭 만나 뵙고 싶다고 하십니다."

"그게 나랑 무슨 상관이야."

만나고 싶으면 그쪽에서 오라고 히이로는 생각했다.

"히이로, 그 녀석과 만나는 것도 내 야망을 위한 일이야."

항상 거만한 리린이 지금은 진지한 눈빛으로 히이로를 바라보고 있었다.

"너는 내…… 그, 꾸, 꿈을 응원하겠다고 했지. 그러니까…… 그러니까 말이다, 그래! 네놈은 내 말대로 따라와야 해! 그게 부하의 의무야!"

"아아…… 아가씨, 잘 나가다가 망치셨군요."

시우바가 큰 한숨과 함께 고개를 푹 떨궜다. 그리고 리린은 왠지 얼굴이 새빨갰다.

'내가 왜 이렇게 건방진 소리를 들어야 하지? 할아버지조차 어이가 없어서 어깨를 늘어뜨렸잖아.'

계속 고분고분한 태도로 부탁했으면 귀엽게 봐주기라도 했을 텐데.

"아, 아가씨! 부탁할 때는…… 그, 그거예요! 귀엽게 올려다보면서 살짝 눈망울을 적시는 편이 좋아요!"

"오오, 멋집니다, 샤모에 양! 아가씨, 샤모에 양이 옳습니다!"

"무, 무슨 소리야! 그, 그런 짓을 어떻게 해! 그, 그리고 뭐냐, 그 지식은! 샤모에, 누구한테 들었어!"

"그게…… 시우바 님인데요?"

샤모에는 싱글싱글 웃으며 폭탄 발언을 던졌다. 「오오, 지저스」라며 신에게 기도하는 시우바. 보나 마나 분노로 어깨가 부들거릴 리린의 응징을 각오하는 중이겠지.

"네놈은 샤모에한테 뭘 가르치는 거냐아아아!"

"프허흠?!"

돌려차기가 깔끔하게 옆얼굴에 직격해 시우바는 머리부터

벽에 꽂혔다.

……수리비는 시우바에게 내라고 하자.

"아, 아무튼 간에 네가 안 오면 곤란하다는 말이다!"

"그 녀석을 불러오면 해결될 문제잖아."

"그게 안 되니까 이러지! 그 녀석한테도 사정이 있어!"

"사정이 없는 사람이 어딨어."

"그 녀석의 정체가 밝혀지면 그것만으로 소동에 휘말릴 가능성이 있어! 그렇게 되면 더 귀찮아진다고!"

"……그런 녀석이랑 만나게 하지 마."

가뜩이나 자신은 사건에 휘말리기 쉬운 체질이었다. 그런 폭탄 같은 자와 관련되기 싫은 것이 당연한 마음이었다.

"어쨌든 나는 안 가."

"하, 하지만 이건 꿈을 위한 일이기도 하다고!"

그러고 보니 마음에 걸리기는 했다. 그녀의 꿈—【만민이 즐길 수 있는 장소】를 만들겠다는 꿈을 돕겠다고 공언한 이상, 그것을 무시할 수는 없었다.

게다가 자신도 그 꿈이 실현된 세계를 보고 싶다고 진심으로 생각했다. 하지만 그 인물을 만난다고 리린의 꿈에 다가갈 수 있다는 생각은 들지 않았다. 쉽게 말해서 실감이 안 들었다.

"그, 그리고 네가 가진 《절도 잔게키》의 원본을 만든 게 그 쿠젤이야!"

……응?

"그러니까 한 번만이라도……."

"이봐."

"만나…… 응?"

"지금 뭐라고 했어?"

히이로가 갑작스럽게 관심을 보여서 리린은 어리둥절한 기색이었다.

"어…… 지금? 그, 그러니까 한 번만이라도 만나 보라고."

"아니, 그 전에."

"……네가 가진 《절도 잔게키》의 원본을 만든 게 그 쿠젤이다…… 말인가?"

기억력이 좋다고 감탄하지만, 아무래도 잘못 들은 게 아닌 듯했다.

히이로는 침대 옆에 세워 둔 애도를 봤다.

"쿠젤……이라고 했지?"

"응? 응."

"하나만 묻자. 그 녀석 이름——— 쿠젤 지오인가?"

—【마국 하아스】 북쪽에 펼쳐진 암석 지대. 크고 작은 바위 밀림이 마치 침입자를 막듯 위압하는 그곳에는 하나의 동굴이 있었다.

히이로 일행은 그 동굴 안쪽으로 들어가서 앞쪽에 보이는 빛을 확인하고 일단 발을 멈췄다.

그 안쪽에 예의 인물이 있냐는 의미를 담아서 옆에 선 리린을 바라보자 그녀도 그렇다며 살짝 고개를 끄덕였다.

일단 주위를 경계하며 걸어가며 강해지는 불빛에 다가갔다.

그곳에는 빛이 감싼 듯 생활공간이 펼쳐져 있었다. 나무 상자를 빼곡하게 채운 바닥 위에 다다미가 깔렸고, 볏짚 이불에 선반, 항아리와 밥상이 있고 이로리[#2]까지. 이 세계에 어울리지 않는 광경이 눈에 들어왔다.

그리고 이로리 옆에 앉아 등을 보이는 인물이 보였다.

뒷모습으로 알 수 있는 대로 하카마[#3]를 입은 그 인물 머리 위에는 짐승 귀가 달려 있었다.

'역시 수인이야. 그러면…… 아마 맞겠군.'

히이로는 거의 확신을 얻었다.

"—이봐, 말한 대로 데리고 왔다."

리린의 말을 듣고 짐승 귀가 쫑긋 움직이더니 그 인물이 빙글 몸을 돌려 정면을 바라봤다.

"리린 씨, 오셨나요? 오늘도 손님을 많이 데리고 오셨네요."

온화하게 미소 짓는 수인 남성. 겉모습은 20대 후반으로밖에 보이지 않지만, 수인이라서 실제 연령은 확실치 않았다.

다만, 히이로가 느낀 그의 분위기는 어떤 인물을 연상케

#8 이로리 일본 전통 가옥에서 마루를 파내어 불을 때는 구조물.
#9 하카마 기모노 위에 덧입는 주름치마 같은 하의. 남성용은 보통 바지 형태다.

했다. 히이로는 한 발 앞으로 나갔다.

"당신이 쿠젤 지오야?"

"네. 제 이름은 쿠젤 지오입니다."

히이로의 허리춤에 힐끗 눈길을 준 쿠젤이 그곳에 있는 칼을 확인했다.

"혹시 당신이 히이로 오카무라인가요?"

"그래. 당신이 만나고 싶다고 해서 왔어."

"이런 궁벽한 곳까지 찾아와 주셔서 감사합니다."

"아니, 나도 당신이랑 한 번 만나서 이야기하고 싶었어."

"흐음…… 무슨 이야기죠? 리린 씨의 사정으로 당신과 만나고 싶다고는 말했지만, 우리는 초면일 텐데요?"

"초면이지. 하지만 나는 당신에 관해 조금 알고 있어."

"그렇다는군."

"리린 씨……."

리린이 대화에 끼어들어서 쿠젤은 진상을 알아내려고 그녀를 바라봤다.

"그 후로 돌아가서 히이로에게 네 이야기를 했어. 처음에는 자기가 찾아갈 이유가 없다면서 들어줄 생각도 안 했지. 하지만 네 이름을 꺼낸 순간 태도가 바뀌었어."

그녀가 말한 대로였다.

쿠젤의 이름을 듣고 여러모로 확인했다. 노란 머리카락에 불세출의 대장장이. 그리고 세계를 돌아본 수인이라는 것까지 듣고 직접 만나서 확인하고 싶어졌다.

"……그렇군요. 그럼 물어봐도 될까요? 왜 당신이 저를 아는지."

쿠젤은 똑바로 히이로의 눈을 들여다봤다.

그리고 이미 확인은 했지만, 혹시 몰라서 진실을 알아보기로 했다.

"당신—— 윈카 지오 아버지지?"

쿠젤이 온몸이 감전된 것처럼 움찔하더니 눈을 크게 뜨고 믿을 수 없는 말을 들은 사람처럼 히이로를 응시했다.

"……어, 어떻게 그 이름을? 그 아이의 이름을 당신이……?"

그 반응으로 확실히 알았다. 리린 일행도 그 반응에 놀라서 히이로를 보고 있었다.

'역시 그랬나.'

처음 봤을 때부터 그런 느낌은 들었다. 이 인물은 틀림없이 그 녀석의 아버지일 것이라고. 노란 머리에 수인이라는 종족. 그리고 무엇보다 눈매와 나긋나긋한 인상, 분위기가 쏙 빼닮았다.

아직 아놀드 일행과 인간계를 여행하던 때 만난 소녀—윈카 지오를.

특히 그녀와 똑같이 안테나처럼 뻗은 머리카락 한 다발이 결정적이었다. 앞으로 안테나 아버지라고 부르자.

"윈카가 누구지? 히이로, 너는 뭘 알고 있는 거냐?"

리린이 설명을 요구했다. 그러고 보니 그들에게도 자세히 설명한 적은 없었다.

"윈카 지오…… 이 대장장이의 딸이야."

"따, 딸?! 자, 잠깐만 있어 봐, 그럼 뭐야? 너는 쿠젤의 딸을 만난 적이 있나?"

"그래. 같이 여행했어. 잠깐이었지만."

윈카의 목적은 아버지를 찾는 것. 세계를 전전하는 아버지를 찾고, 무언가에 쫓긴다는 아버지를 돕기 위해서 필사적으로 갈고닦은 힘을 살려 여행하고 있었다.

"그, 그럴 수가…… 그 사람은…… 린데는 어쩌고요?"

쿠젤이 새파래진 얼굴로 물었다.

"린데? 어머니 이름인가?"

"아닙니다……. 하지만 윈카는 어머니라고 생각할지도 모르겠군요. 그러라고 부탁했으니까……."

그는 몹시 고통스러운 표정으로 이야기를 들려줬다.

"일찍이 저는 많은 무기를 이 손으로 만들어 냈습니다. 하지만 그 무기가 도적의 손에 넘어가고 그 탓에 아내를…… 잃고 말았습니다."

다행히 어린 자식— 윈카는 무사했지만, 이대로 가면 자기 때문에 딸마저 위험에 처한다고 깨달은 그는 윈카를 린데에게 맡기고 떠났다.

"린데는 아내의…… 동생입니다. 그녀에게는 윈카의 어머니가 되어 달라고 부탁했지요. 윈카에게 친어머니가 살해됐다는 사실을 알리지 않기 위한 부탁이었습니다. 하지만 윈카는 분명히 린데를 진짜 어머니라고 믿고 있겠죠. 린데 덕분에 저는 여행을 떠날 각오를 했다고 말해도 과언이 아닙니다."

그리고 세계 각지를 방랑하며 자신이 만든 무기를 남의 손에 넘어가지 않도록 회수하고 다녔다. 이 이상 비극이 일어나지 않도록.

단, 쿠젤이 만드는 무기는 평범한 사람이 쥐기만 해도 폭발적인 위력을 낼 만큼 강력했다. 그래서 칼을 원하는 자가 끊이지 않았고, 권력자들도 그를 쫓아다녔다. 그것이 그가 쫓기고 있다는 의미였다.

그렇게 추적자의 압박은 서서히 강해졌고 쫓기어 달아난 끝에 정착한 곳이 이 동굴이었다.

"그랬군. 하지만 그 린데라고 했나…… 죽었다고 들었어."

"뭐라고요?! 왜……? 설마 또 도적에게?!"

쿠젤이 달려들 것처럼 고개를 들어 물었다. 그 박력에 놀라 무심결에 한 발자국 물러나고 말았다.

"아니, 그 녀석은 병사라고 했어."

"그, 그랬나요……."

그는 고개를 숙이고 회한에 사무쳐 마음이 뭉개질 것 같은 표정을 지었다.

"아직 뒷이야기가 있어. 그 어머니가 죽었을 때, 그 녀석은 아직 일곱 살이었어."

"네?! 이, 일곱 살……."

"그리고 그때부터 그 녀석은 혼자 살았어."

"윈카가…… 혼자서……?"

"그래. 모험가가 되어서 아버지인 너를 찾으려고 인간계를 돌아다니고 있었지."

"그, 그런 일이……."

몸을 약하게 떠는 그를 보고 기가 차서 한숨이 나왔다.

"아버지라면 그 녀석의 체질은 잘 알겠지? 그 녀석이 인간계에서 어떻게 살아왔는지…… 당신은 이해해?"

윈카를 두고 떠난 이유는 안다. 그 나름대로 그게 가장 옳다고 생각해서다. 자신과 함께 있으면 위험에 휘말리며, 그 탓에 딸까지 다칠 우려가 크다.

그래서 사랑하는 아이를 떠난 것이었다. 그것은 무척 고통스러운 선택이었겠지. 하지만 히이로는 윈카라는 소녀의 강한 의지를 몸소 느꼈다.

그녀가 그때까지 어떻게 살아왔는지도, 이 정세 속에서 그게 얼마나 험난한 가시밭길이었을지도 알고 있었다.

"딱히 당신을 비난할 생각 없어. 하지만 그런 생각은 못 했던 거야? 그 녀석이 당신을 찾아서 여행을 떠날 가능성을."

"…………미처 생각지 못했습니다."

"그래 보여."

"그 아이는 우리 둘 중 아내…… 피아니를 닮았으니까요. 피아니는 정숙한 여성이고 여행을 떠날 성격의……."

"인간이 아니었나……?"

그 말에 히이로와 쿠젤을 제외한 모두가 경악에 휩싸였다. 물론 미카즈키와 닛키는 잘 이해하지 못한 분위기지만.

"인간……? 야, 쿠젤, 아이가 있다는 건 전에 들었지만, 상대가 인간이었다고?"

리린이 놀라는 이들을 대표해서 물었다.

"네. 피아니는 분명히 『인간족』입니다."

"그, 그렇다면……."

"네. 윈카는— 혼혈입니다."

샤모에의 어깨가 흠칫 떨리고 얼굴이 굳었다.

"샤모에……?"

미카즈키가 그녀의 반응에 의문을 느꼈는지, 샤모에의 손을 꽉 잡으며 말을 걸었다. 샤모에 또한 혼혈이었다. 그래서 아는 것이다. 혼혈인 윈카가 일곱 살에 혼자 세상에 나간 사실이 얼마나 무서운 일인지를.

혼혈이 배척받는 것은 예나 지금이나 별반 다르지 않았다. 심할 경우 거의 날아다니는 파리처럼 취급받는다. 그런 세상에서 윈카가 홀로, 그것도 인간계를 여행했다는 것이 믿어지지 않는 얼굴이었다.

"……그러고 보니 샤모에 씨도 혼혈이셨죠."

쿠젤은 미안한 듯 눈을 깔았다.

"그 녀석은 당신을 찾아 헤매고 있어. 아마 지금도 그럴 거야."

"……그런가요. 당신과 그 아이에게 그런 인연이……."

"단순한 우연일 뿐이지만."

"……아뇨. 함께 여행했다면 그 아이가 당신을 적잖게 믿었다는 증거입니다. ……그랬군요, 저는 지금도 실패를 거듭하고 있었나 봅니다."

"그렇게 생각하면 빨리 데리러 가는 게 어때? 이런 곰팡내 나는 동굴에 틀어박혀 있지 말고."

침묵이 깔리고 쿠젤이 답을 낼 때까지 아무도 입을 열지 않았다. 그리고 겨우 쿠젤의 표정에 변화가 보이며 입술이 조용히 움직였다.

"…………칼을, 보여주실 수 있나요?"

"……뭐?"

아무 맥락 없이 화제가 바뀌어 히이로는 이야기를 따라가지 못했다. 하지만 상대는 진지한 표정이었다. 농담은 아닌 듯했다. 그럼 지금 칼을 보여주는 것도 뭔가 의미가 있는 행위겠지.

"그 칼은 《절도 잔게키》. 본래는 《자도 츠라누키》였다고 시우바 씨에게 들었습니다. 제가 여행 도중에 만나서 잠시 가르침을 준 자프라는 대장장이가 완성했다고도. 그래서 그 칼을 가진 당신을 시험해 보고 싶다고 생각했어요."

—자프. 히이로가 마계를 여행하다가 만난 남자. 자프에게도 스승의 이야기는 들었다. 일주일 정도 야금술의 기본을 가르쳐준 남자가 있었다고.

그리고 《츠라누키》를 만든, 대장장이라면 누구라도 숭배하는 인물이 바로— 눈앞에 있는 사내였다.

그것은 히이로도 자프에게 들었다. 리린 일행도 옛날에 쿠젤과 만났고 그를 찾고 있었다는 사실에 놀랐지만, 이 기묘한 인연이 신기하기도 했다.

"설마 자프가 전쟁에 사용될 줄 알면서 칼을 만들다니……. 시우바 씨에게 처음 들었을 때는 귀를 의심했습니다."

자기 무기가 또 비극을 낳을지도 모른다고 생각해서 섬뜩했겠지.

"아, 하지만 걱정하지 마십시오. 당신이 어떤 인물인지 여기 있는 분들께 대강 들었습니다. 함부로 남을 해치는 악인은 절대로 아니라고 말이죠."

"낯짝만 보면 나쁜 놈이지만, 크크크."

"그거 네 얘기냐, 적로리?"

"뭐? 감히 나한테 그 말버릇은 뭐지, 히이로?"

눈빛 사이로 불똥을 튀기는 히이로와 리린. 다들 또 시작이라며 바라보는데, 먼저 고개를 돌린 사람은 히이로였다.

히이로는 한숨을 내쉬고 칼집째로 《잔게키》를 뽑았다. 그리고 쿠젤 앞에 조심스럽게 놓았다.

하지만 그때 히이로 어깨 위로 어떤 그림자가 올라탔다.

"야! 우리 《잔게키》한테 엉뚱한 짓 했다가는 가만 안 둬!"

텐이었다. 그는 《잔게키》와 일체화해서 칼에 무슨 짓을 할까 봐 조마조마한 모양이었다.

"……놀랍군요. 당신은 설마 정령인가요?"

"오오, 단박에 알아보네? 보는 눈이 있는데!"

텐은 쿠젤의 안목에 감탄했는지 킬킬 웃었다.

히이로는 어깨에 타지 말라고 말한 뒤 시선을 쿠젤에게 되돌렸다.

쿠젤은 칼을 뽑아서 마치 눈으로 대화라도 하는 양 지그시 칼날을 들여다봤다. 옆에서 보면 칼에 매료된 위험한 사람으로밖에 보이지 않았다.

리린의 말에 따르면 쿠젤은 이런 식으로 자신의 칼과 대화할 수 있다고 했다.

쿠젤은 다양한 각도에서 《잔게키》의 존재를 확인하듯 눈을 움직였다. 처음에는 칼을 보고 경악해 눈이 휘둥그레졌지만, 차츰 뭔가를 이해한 것처럼 고개를 끄덕였다. 그리고 후후후, 하며 즐겁게 웃었다.

"뭐가 우스워?"

히이로가 궁금해서 말을 걸자, 쿠젤은 아니라고만 말하고 칼을 도로 칼집에 꽂았다.

"아무래도 그 아이는 이미 제 손을 벗어난 모양이네요."

"……?"

"그 아이에게 물었습니다. 지금 마스터인 당신에 관해. 그리고 계약한 텐 공에 관해."

"아, 내 이름……."

아직 텐은 이름을 밝히지 않았다. 칼과 대화한다는 것은 비유가 아니라 진짜인 모양이었다.

"그건 그렇고 놀랍군요. 설마 『정령도』로 성장하다니……. 아니, 이건 이미 성장을 넘어선 진화군요."

"후훗, 봤냐!"

감탄하는 쿠젤에게 텐이 으스대듯 가슴을 내밀었다.

"게다가 이 조형…… 무척 아름답게 완성됐어요. 자프는 솜씨가 좋아졌군요."

"그래서? 칼과 대화한 감상은?"

"그 아이와 이야기할 수 있어서 기뻤습니다. 여러 말을 들었지만요."

"여러 말?"

"무엇보다 윈카에 관한 일로…… 혼이 났습니다. 가족을 외롭게 하면 안 된다고. 게다가 윈카가 얼마나 당신에게 신세를 졌는지도."

자조하듯 씁쓸하게 웃는 그를 모두 말없이 바라봤다.

"……설마 일이 이렇게 될 줄은 생각도 못 했어요."

그러면서 리린의 얼굴을 봤다.

"《잔게키》가 알려줬습니다. 그가 어떤 사람인지 알았고, 그를 향한 절대적인 신뢰도 전해졌습니다. 그리고 그런 그가…… 당신의 꿈을 응원한다는 것도."

"당연하지! 히이로는 내 부하니까!"

"헛소리는 잠꼬대로만 해."

"뭣이! 아직 네놈은 자기 입장을 모르나 보군, 히이로."

"뭐라는 거야. 나는 변태 집사처럼 어린애의 종복이 될 생각 따위 없어."

"어, 어린애라고 하지 마아아아!"

"노호호호호! 아뇨아뇨, 이게 정말 좋은 겁니다! 어린애의 종복! 아아, 기운이 불끈불끈 솟는군요! 노호호호호!"

그야말로 혼돈의 도가니가 펼쳐지려고 하는데…….

"……후후."

희미한 웃음소리를 낸 쿠젤을 히이로와 리린이 동시에 노려봤다.

""뭐가 우스워?""

이구동성으로 협박하듯 말하지만, 쿠젤은 자연스럽게 받아넘겼다.

"아뇨, 그냥 리린 씨가 왜 포기하려던 꿈을 다시 좇게 됐는지 알 것 같아서요."

벌레도 못 죽일 법한 상냥한 웃음에 맥이 빠진 리린은 콧방귀만 뀌었다.

"솔직히 말하면 정말로 만나도 뜻을 바꿀 생각은 없었어요. 이미 속세에는 관심이 없고, 당신의 꿈을 위해서 일할 마음도 별로 없었죠."

"……."

"당신이 말하는 【만민이 즐길 수 있는 장소】를 만든다는 이상. 그건 분명히 덧없는 꿈을 좇는 일. 손이 닿을 만하면 터져서 사라지는 비눗방울 같은 꿈. 그래서 저는 당신의 제안을 받아들일 생각이 없었습니다."

미소를 지으며 말하는 쿠젤의 이야기에 모두 아무 말 없이 귀를 기울였다.

"지금 세상은 너무나도 어지러워요. 종족의 차이로 불화가 생기고, 그저 이권을 위해 다툼이 생깁니다. 또 그 다툼에 이기기 위해 사람들은 더 큰 힘을 바라죠. 패배자는 고통과 슬픔을 끌어안고, 그것이 증오가 되어 또 다툼이 번져나갑니다. 그 다툼에 제 아이들, 무기가 사용됐다는 이야기를 들을 때면 자책감에 마음이 찢어질 것 같았죠."

싸움에 이기기 위해 힘이 필요한 것은 자명한 이치. 그 힘으로 강한 무기를 바라는 것 또한 진실. 무기를 만드는 그를 좇는 권력자들은 온갖 수단을 동원해 그를 설득했으리라.

"무기는 단순한 장식품이 아니죠. 그건 저도 압니다. 다만,

저는 둘도 없이 소중한 것을 지키기 위해 썼으면 했어요……. 하지만 제가 어리석었죠. 그런 안이한 이상이 이루어질 리 없는데. 시대가 시대잖습니다. 저는 그걸 잘 몰랐어요. 멍청하게도 소중한 사람이 제가 만든 무기에 죽고 난 뒤에야 그걸 알았어요……. 그래서 저는 자취를 감추기로 했습니다. 다시는 사람을 죽이는 무기를 만들지 않겠다고 맹세하고……."

그가 만든 무기는 지금도 세상 어딘가에 있을지도 모른다. 그리고 전쟁에 이용되고 있을 가능성이 높았다. 그는 그런 현실에서 눈을 돌려 버린 것이었다.

"……당신, 우는소리랑 후회뿐이군."

다들 입을 다문 가운데, 히이로만 냉랭한 눈길로 그렇게 말했다.

"무기를 만드는 데 이유를 찾으려니까 그렇게 되지. 애초에 무기는 어떻게 다루든 싸우기 위한 도구야."

"……그렇죠."

"당신이 어떤 마음으로 무기를 만들건 결국 사용하는 자가 무기의 가치를 결정해."

"……맞습니다."

"결국 당신은 자기 무기로 누가 의롭지 않은 행동을 하는 게 싫을 뿐이지? 현실에서 눈을 돌리고 계속 도망만 치고 있어. 자기 딸에게서도."

"네?"

"생각이 하나하나 안일해. 이 녀석도 말했다며?"

그러면서 《잔게키》를 가리켰다.

"당신은 아버지야. 뭘 하건, 어디에 숨건, 쿠젤 지오가 그 녀석의 아버지라는 사실은 변하지 않아. 아버지라면, 아직 살아 있다면 아이를 외롭게 하지 마!"

"……히이로 씨."

"딱히 도망치는 것 자체는 나쁘지 않아. 그렇게 해서 발견하는 것도 있겠지. 하지만 가장 나쁜 건 **도망만 치는 거**야."

충격을 받았는지 쿠젤은 눈을 크게 떴다.

"당신이 진짜 해야 할 일은 이런 곳에 틀어박히는 게 아니잖아? 대단한 힘이 있으면 그걸 써서 앞으로 나아가는 게 어때?"

그가 경험한 괴로움을 참되게 이해할 수는 없지만, 그래도 히이로는 말하지 않을 수 없었다. 부모가 있는데 만나지 못하는 아이의 괴로움은…… 어렴풋이 이해하니까.

그러자 잠시 침묵이 흐른 뒤, 쿠젤이 웃음을 흘렸다.

"……후후. 웃어서 죄송합니다. ……방금 말했지만, 사실은 무슨 말을 들어도 여기서 나갈 생각은 없었어요. 나라는 존재가 다시 싸움의 불씨가 될 우려도 있으니까요."

틀린 말은 아니었다. 그의 존재를 알면, 특히 【인간국 빅토리어스】의 국왕이 알면 납치 계획을 세운다고 해도 이상하지 않았다.

"리린 씨…… 한 방 먹었습니다."

"쿠젤……."

"……이 소년의 등장은 예상 밖이었어요. 아뇨, 아예 상상도 못 했습니다. 만나고 싶다고 한 제가 말하기도 그렇지만."

"흥, 이 녀석은 항상 예상을 초월하지. 단지 그뿐이야."

이 녀석이라고 부르며 손가락질해서 히이로는 불쾌함에 인상을 찌푸렸다.

"네, 정말 그렇군요. 설마 제 딸과 만나고, 심지어 이렇게 진화한 《잔게키》를 보게 될 줄은 예상도 못 했습니다. 게다가 이 나이를 먹고 찍소리도 못할 만큼 혼날 줄도 몰랐고요."

쿠젤은 히이로의 눈을 바라보며 피식 웃었다.

"하나만 물어도 될까요?"

"……내가 답할 수 있는 일이라면."

"감사합니다."

쿠젤이 단정하게 앉아 허리를 꼿꼿이 펴고 《잔게키》를 봤다.

"그 아이에게…… 《잔게키》에게도 들었지만, 당신을 전적으로 믿고 있더군요. 오랜 인연이라면서."

그야 그렇다. 이 《잔게키》는 《츠라누키》를 합성해서 만든 무기. 《츠라누키》는 따지고 보면 히이로의 첫 동료였다. 이 세상에서 함께한 시간은 그 누구보다 길었다.

"하지만 저는 제가 낳은 무기가 전쟁에 이용되는 게 싫어요. 그래서 세계에 퍼진 제 아이들을 회수하고 다녔죠. 그

《잔게키》도 원래는 제가 만든 아이. 그 아이를 전쟁에 사용하지 말아 달라고 하면 어떻게 하시겠습니까?"

"그게 질문이야?"

"네."

쿠젤이 고개를 끄덕이고 히이로의 눈을 봤다. 똑바로 들여다보는 눈동자는 맑고 투명했다. 웬만한 대답으로는 납득하지 않으리라는 것을 알 수 있었다.

"……미안하지만, 그럴 순 없어."

"왜죠?"

"이 녀석은 이미 내 거야. 그러니까 남의 의지를 존중할 생각은 없어."

"……그 아이가 제 손을 떠났다고 말하긴 했죠. 하지만 무기는 사람을 쉽게 상처 입힙니다. 잘못 사용하면 간단하게 사람의 목숨을 앗아가고, 증오와 슬픔 같은 검은 감정으로 세상을 뒤덮을 수도 있어요. 그리고 그런 폐해는 전쟁 중에 여실히 드러나죠. 그래도 당신은 그 아이를 휘두를 생각입니까?"

"당연하지. 나는 내 의지로 적이랑 싸워. 그리고 무기는 사람을 해치는 게 전부는 아니잖아? 방금도 말했지만, 중요한 건 사용하는 사람의 마음가짐에 달렸어. 무언가를 지키기 위한 도구, 그렇게 말한 사람은 당신이야."

"으…… 자승자박이었군요."

“적어도 나는 이 녀석에게 많은 도움을 받았어. 내 길을 관철하기 위해서.”

“당신의 길……?”

“그래. 나라고 좋아서 사람을 해치지는 않아. 하지만 내 길을 방해한다면 힘을 써서라도 뚫고 나가지.”

“그 결과, 사람이 죽어도 말인가요?”

“각오는, 이미 했어.”

눈을 깜박이는 것도 잊은 것처럼 쿠젤이 히이로의 눈동자를 물끄러미 바라봤다.

“나는 내 길을 지키기 위해서 이 녀석을…… 《잔게키》를 휘두를 뿐이야.”

“말 잘했어! 나랑 《잔게키》랑 히이로는 앞으로도 쭉 함께야! 그리고 히이로는 《잔게키》를 슬프게 할 싸움은 절대로 안 해. 그것만은 나, 텐 님이 보장하지!”

텐이 쿠젤에게 브이 사인을 디밀었다. 뭘 하든 상관없지만, 왜 아직도 어깨에 타고 있는지 모르겠다.

“네가 보장하지 않아도 이 칼이 나를 믿는 한 나도 계속 믿을 뿐이야.”

그 찰나— 쿠젤의 눈이 커졌고, 곧 온화한 미소를 보였다.

“그렇군요. 《잔게키》는 좋은 주인을 찾은 모양이네요.”

쿠젤은 몸을 리린에게 돌리고 조용히 머리를 숙였다. 리린도 처음에는 당황해 흠칫했지만, 이내 그 행위의 의미를 이해했는지 진지한 얼굴로 마주했다.

"리린 씨, 당신이 말하는 꿈. 미력하나마 저도 그 꿈을 실현하기 위해 힘을 빌려드리죠. 아니, 힘을 보태게 해주십시오."

"……! 좋다. 잘 부탁하마, 쿠젤!"

리린도 기쁘게 웃으면서 만족스레 고개를 끄덕였다. 시우바와 샤모에도 서로를 마주보며 리린의 기쁨을 똑같이 공유하듯 고개를 끄덕이고 있었다.

제3장 파시온 방문

히이로 일행이 성으로 돌아왔지만, 거기에 새로운 동료 쿠젤의 모습은 보이지 않았다.

그는 거처를 정리해야 하니까 시간을 달라고 말했고, 리린도 딱히 서두르는 일이 아니라서 신변 정리가 끝나면 성으로 오도록 말해 뒀다.

시우바가 그 소식을 마왕인 이베엄 그랑 얼리 이브닝에게 전해 쿠젤이 오면 히이로 일행이 받은 방으로 안내해 달라고 부탁했다.

방으로 돌아온 히이로는 문득 궁금한 점이 생겨 리린에게 질문을 던졌다.

"그러고 보니 물어보지 못했지. 왜 안테나 아버지를 이렇게 열심히 포섭한 거야?"

"안테나 아버지? ……아, 쿠젤 말인가. 뭐야, 궁금한가?"

"궁금하니까 묻지."

"흥, 하긴 그렇겠지. 그 녀석과는 옛날에 한 번 만났다고 말했지? 그때 녀석이 품은 번민도 본인에게 들었어. 녀석 또한 여기 있는 시우바나 샤모에와 마찬가지로 이단자라고 불리는 자 중 하나다. 이 세계에서 살아가기 힘든 인종이지."

"살아가기 힘든 인종……."

약간 마음에 걸리는 표현인데…….

"그래서 언젠가 내가 만들 【낙원】으로 초대했어. 하지만 녀석은 그때, 내 야망을 허황된 꿈이라고 단언했지. 그게 분했다는 게 가장 큰 이유야."

이해했다. 자존심 강한 그녀다운 이유였다.

"하지만 물론 그게 다는 아니야. 녀석에게는 옛날에 신세를 졌어. 은혜는 반드시 갚아. 쿠젤이 안심하고 살 수 있는 곳을 제공해서 빚을 갚을 수 있다면 일석이조지."

"일석이조?"

"쿠젤이 의심한 꿈을 실현해 나를 다시 보게 하는 것, 그리고 은혜 갚기."

"그렇군. 확실히 너에게는 일석이조겠어."

리린은 콧바람을 훗 불면서 시우바를 시켜 준비한 와인으로 목을 축였다. 표정이 느슨해진 얼굴을 보면 상당히 기분이 좋다는 게 느껴졌다.

쿠젤을 끌어들였다는 사실은 그녀로서도 기쁜 성과겠지.

"좋아~! 오늘은 쓰러질 때까지 마신다, 시우바! 술이란 술은 다 들고 와라!"

"노호호호호! 그럼 주연을 즐겨 봅시다, 아가씨!"

덩실덩실 춤이라도 출 것 같은 두 사람을 무시하고 히이로는 혼자 이베엄을 찾아갔다.

시우바에게 들으니 그녀는 집무실에서 아쿠위나스와 이야기를 나누는 중이라고 했다.

방 밖으로 나와서 시녀를 잡아서 안내를 부탁했다.

집무실 문 앞까지 온 시녀가 노크를 하고 히이로가 왔음을 알렸다. 안에서 들어와도 좋다는 목소리가 들린 뒤, 방 안으로 들어갔다.

"히이로, 무슨 일이지? 쿠젤이라는 자의 이야기라면 방금 시우바 공에게 들었다만?"

푸른 두 눈이 히이로를 바라봤다. 이베엄의 얼굴을 오랜만에 봤다. 어딘지 모르게 피로가 엿보였다.

지금은 수인과 『항구적 동맹』을 추진하는 단계일 것이다. 사자를 통해서 교류하며 동맹으로 인한 정치적 문제에 대처하는 모양이었다. 그 문제로 그녀는 분주한 나날을 보내며 거의 잘 시간도 없이 일한다고 들었다.

위엄 있게 행동은 하지만, 옅은 화장으로는 피로를 완전히 감출 수 없었다.

하지만 지금이 중요한 시기인 것도 사실이었다. 히이로는 『마인족』 정치에 관여할 생각은 없고 외부자인 자신이 참견할 일도 아니었다.

그래서 그냥 못 본 척하며 본론부터 말하기로 했다.

"그 이야기가 아니야. 내일부터 잠시 【수왕국】에 있을 거야. 그걸 알려주러 왔어."

"……그런가? 무얼 하러…… 아니, 물어도 알려주지 않겠지."

히이로의 성격을 아는지, 대답을 짐작하고 포기한 것처럼 어깨를 으쓱였다.

'나를 그런 비밀주의자로 생각하나?'

괜한 수고를 덜어서 편하기는 하지만, 그렇게 쉽게 포기해 버리면 뭔가 석연치 않기도 했다.

"아니, 일단 여기에 신세를 졌어. 게다가 내 입장도 조금은 이해해. 그러니까 가는 이유 정도는 말할 수 있어. 뭐, 대단한 이유도 아니지만."

히이로 일행은 지금 마왕성에 있는 큰 방을 빌려서 생활하고 있었다. 물론 이베엄이 먼저 권유했기 때문이기도 하지만, 매일 성의 주방장인 무슨이 만드는 맛있는 식사와 편안한 목욕도 즐기고 있기에 감사하는 마음은 있었다.

그리고 아무리 정치에 관여하지 않는 방침이라도 자신은 결투에서 『마인족』을 승리로 이끈 주역이며 영웅으로 추대되는 것도 알고 있었다.

그런 자신이 아무리 동맹국이라도 다른 나라로 간다면 이유 정도는 밝히는 것이 도리라고 생각했다.

"그, 그래?"

이베엄은 의외라는 듯 눈을 동그랗게 뜨고 깜빡깜빡했다.

집무를 돕는지 책장 옆에 서 있던 아쿠위나스 리 레이시스 피닉스는 여전히 조금의 동요도 보이지 않았지만.

"오오~! 이 애가 지금 마왕이구나."

"……이봐. 왜 네가 여기 있어, 노란 원숭이?"

어깨가 무겁다 싶더니 언제 따라왔는지 텐이 어깨 위로 불쑥 나타났다.

작은 동물이 난데없이 튀어나와서 말하니까 이베엄이 얼떨떨하게 텐을 쳐다봤다. 그러고 보니 그녀에게는 정령과 계약했다는 얘기를 하지 않았다.

"뭐, 뭐, 뭐야, 그 동물? 지금 말했지……?"

당연히 이베엄은 깜짝 놀랐다. 말투가 원래대로 돌아올 정도로.

"……정령이군. 히이로, 설마 계약했나?"

하지만 역시 아쿠위나스는 달랐다. 한눈에 정령이라고 알아봤을 뿐 아니라 계약한 것까지 꿰뚫어 봤다.

"그렇게 됐어. 이건 노란 원숭이. 텐이야."

"아니, 그런 별명으로 부르는 건 너뿐이야!"

"뭐가 어때서. 알기 쉽잖아, 노란 원숭이."

"……에효, 마음대로 해라. 잘 부탁해, 마왕 아가씨."

히이로의 고집에는 반발해도 소용없다는 것을 깨달았는지 텐은 어깨를 축 늘어뜨리면서도 인사만은 했다.

"계, 계약……? 히이로는 얼마나 더…… 아니, 그냥 말을 말자……. 그, 그래서? 수인계로 가는 이유는……."

"사실 그 대장장이 때문에."

"아, 쿠젤이라는 자?"

그 순간, 아쿠위나스의 눈이 가늘어졌지만, 그 반응으로 시우바에게 그는 이야기를 듣지 못했다는 사실을 알았다. 오래 산 그라면 쿠젤을 알아도 이상할 게 없었다.

"그래. 그 대장장이를 만나면 알려 달라고 했거든."

"……누가?"

"예전 여행 동료."

"……아."

이베엄은 결투 장소에서 히이로에게 친근한 태도를 보인 뮤아와 아놀드를 떠올리며 수긍했다.

"그래, 이야기만 전할 뿐인가?"

"……아니. 마침 좋은 기회니까 수왕에게 빚을 하나 갚으라고 할까. 들어줄 리 없다고는 생각하지만……."

"무, 무모한 행동은 하면 안 된다?"

"할 리 없잖아? 나를 뭐로 보고."

실제로 히이로의 비상식성을 알고 하는 충고겠지만, 정작 히이로 본인에게 자각이 없어서 이베엄은 한숨밖에 쉴 수 없었다.

"하지만 히이로, 지금 그쪽 상황이 안 좋은 건 알고 있나?"

"상황이 안 좋다고?"

이베엄에게 【수왕국 파시온】이 검은 옷을 입은 두 인물에게 습격받았다는 소식을 들었다. 그리고 그 인물들이 아마

아보로스의 수하일 것이라고…….

"그랬군. 그 선대 마왕도 이미 움직이고 있었나."

"어쨌거나 상황이 그러니까 괜히 자극하지 않는 편이 좋을 거야."

그런 사건이 있었다면 지금 【파시온】의 분위기는 험악할 것이다. 조금만 자극해도 과잉 반응이 돌아올지 몰랐다.

"그쪽 병사들도 너를 알 테니까 큰일이야 있겠냐마는, 그래도 조심해……. 수왕국을 공격한 건 수인과…… 인간이라고 하니까."

"인간?"

"그래. 그러니까 같은 『인간족』인 너도 그다지 좋은 눈으로 보지 않겠지. 가려거든 마법으로 변장해서 가도록 해."

"……알았어. 정보 고마워, 마왕."

"별말을. 뭐, 히이로라면 큰일이야 없겠지만, 그래도 조심해서 나쁠 건 없지."

작게 고개를 끄덕이고 발길을 돌리려던 때, 이베엄에게서 무거운 한숨이 새어 나왔다. 어린 여자애가 아니라 흡사 일에 쫓겨 스트레스가 쌓인 중년 아저씨 같은 한숨이었다.

우뚝 멈춰 선 히이로는 가볍게 문자를 써서 이베엄에게 날렸다.

아쿠위나스는 처음부터 히이로의 행동에 악의가 전혀 없다고 느껴서인지 말리지도 않고 가만히 보고만 있었다.

"응?! 뭐, 뭐야?"

이베엄은 자신에게 마력 덩어리가 명중해서 당황했다. 눈앞에는 손가락을 자신에게 뻗은 히이로가 있었다.

이베엄의 몸에 닿은 문자가 빛나고 포근한 빛이 전신을 감쌌다.

"아…… 따뜻하고…… 편안해."

따뜻한 열이 몸 전체로 퍼지고 꿈속에 있는 듯 몸이 붕 뜨는 느낌을 이베엄에게 전해줬다. 그야말로 봄 햇살을 받으며 시원한 바람을 쐬는 기분일 것이다.

빛에 감싸인 이베엄의 의식은 조용히 멀어져 갔다.

"—고맙다, 히이로."

아쿠위나스가 책상에 엎드려 잠든 이베엄에게 자기 코트를 걸쳐주며 말했다.

"우리가 쉬라고 말해도 듣지 않고 쭉 일에만 매달려 있었지."

"그럴 줄 알았어. 다크 서클이 화장으로도 안 가려질 수준이야. 그리고 조금 수척해졌군."

"지금은 많은 문제가 수면 위로 올라오는 중요한 시기지만, 건강을 망쳐도 주변이 피해를 보는 건 매한가지지."

"신경 쓰지 마. 방금 정보의 대가로 했을 뿐이야."

"훗, 그런 셈 치겠다."

아쿠위나스는 히이로의 『쾌면(快眠)』 문자로 잠든 이베엄을 다정한 눈길로 바라보았다. 그건 마치 아버지가 딸을 바

라보는 눈길 같았다.

“너도 왕을 지탱하고 있지? 그럼 쓰러지지 않게 혼내. 조금은 무리할 수도 있지만, 도를 넘을 때까지 내버려 두면 측근으로서 자격이 없어.”

“……아픈 곳을 찌르는군.”

히이로는 이제 볼일이 없어서 다시 방을 나가려고 문을 열었다.

“히이로, 고맙다.”

“……두 번 말하지 마.”

문이 탕 닫히고 실내에는 아쿠위나스와 새근새근 숨소리를 내는 소녀 한 명이 남았다.

“본인은 인정하지 않겠지만, 이미 너는『마인족』에게 없어서는 안 될 존재다. ……이 잠자는 공주님에게도 그렇고…….”

조용하고 규칙적인 숨소리만이 방 안에서 울렸다.

—다음 날, 히이로는【파시온】으로 갈 채비가 끝났다고 시우바에게 말했다.

갑작스러운 소식에 시우바는 조금 놀라는 눈치였지만, 자세한 사정은 묻지 않고 조용히 배웅해줬다. 섣불리 캐묻지 않는 점을 봐도 시우바는 상당히 우수한 인재라 할 수 있겠다.

미카즈키와 닛키는 샤모에와 함께 거리에 쇼핑을 나갔다. 리린은 어제 술을 퍼마시고 숙취로 쓰러져서 시우바도 간병하느라 움직이지 못했다. 그래서 지금 자유롭게 움직일 수 있는 사람은 히이로와 카뮤, 그리고 텐 세 명…… 아니, 두 명과 한 마리뿐이었다.

텐은 몰라도 카뮤에게는 여기 남아 있으라고 말했지만, 고집스럽게 따라가겠다고 해서 어쩔 수 없이 동행을 허가했다.

히이로는 여행의 재미는 완전히 배제하고 『전이(轉移)』 문자를 써서 【파시온】으로 왔다.

거기서 본 것은 전에 왔을 때와는 명확히 달라진 풍경이었다. 전투가 있었다고 추측되는 상흔이 땅과 수인들이 사는 나무에 남아 있었다. 그것은 날카로운 칼날에 베인 흔적 같았고, 그것만으로도 상대가 뛰어난 실력을 지녔음을 짐작할 수 있었다.

"이거 한 사람…… 강해."

카뮤도 똑같은 답을 도출한 모양이었다. 참고로 지금 카뮤의 모습은 『변화(變化)』 문자로 수인이 되어 있었다. 그리고 일단 히이로도.

이베엄의 조언에 따라서 수인을 함부로 자극하지 않으려고 모습을 바꾼 것이었다. 히이로는 전에도 그랬던 것처럼 뮤아와 같은 은발 수인으로 변했고 카뮤도 비슷한 모습이었다. 언뜻 보면 두 사람은 형제…… 남매처럼 보였다.

"그래. 하지만 무엇보다 놀라운 건……."

히이로는 나라의 중심에 우뚝 선 거대한 나무로 눈을 돌렸다. 나라의 심볼로 당당하게 군림하던 《시작의 나무 아라고른》의 처참한 변모가 가장 큰 놀라움이었다.

마치 그것은 수백 년 방치해 말라 버린 나무 같았다. 그 생명력 넘치던 강인한 거목이 지금은 몰라보게 달라졌다.

나라를 항상 지켜보던 싱그러운 녹음은 사라졌고, 대지를 단단히 붙잡던 뿌리는 말라비틀어져 불안정한 존재감을 드러냈다.

"아주 된통 당했군."

일행과 함께 초라해진 거목을 바라보는데…….

"—히이로 씨?"

갑자기 자기 이름을 불러서 반응했다. 그곳에는 오랜만에 만나는 예전 여행 동료가 있었다.

"오랜만이야, 꼬마."

"히이로 씨!"

뮤아 카스트레이아. 은발과 짐승 귀가 트레이드마크인 귀여운 수인 소녀였다.

"어?! 아, 저, 왜, 왜왜왜왜 지금? 가, 갑자기 히이로 씨가? 서, 설마 이건 꿈…… 아으!"

너무 우왕좌왕해서 히이로는 뮤아의 이마를 콕 찔러서 정신을 되돌려 놨다.

"으으…… 아야야. 여, 역시 히이로 씨…… 맞나요?"

"당연하지. 누구라고 생각하는 거야?"

"……에헤헤, 그 말투, 틀림없네요."

뮤아는 기쁘게 웃다가 금방 진지한 표정을 보였다.

"그, 그런데 왜 【파시온】에 오셨어요?"

"아, 그것 말인데…… 아저씨는 없어?"

"아저씨라면 지금 《왕수》에 있어요."

"《왕수》? 아, 국왕이 사는 나무 말이군."

"설마 아저씨한테 볼일이 있으신가요?"

"그리고 너한테도."

"네? 저, 저한테?"

뮤아는 짐작 가는 바가 없는지, 입술에 손가락을 대고 고민스러운 얼굴로 히이로가 온 이유를 자기 나름대로 생각해 봤다.

"아무튼 아저씨가 있는 곳으로 안내해 줄래? 거기서 얘기할게."

"앗, 네!"

그렇게 뮤아의 안내를 받아 《왕수》로 걸어가려는데, 문득 뮤아가 히이로 바로 뒤에 있는 카뮤를 돌아보고 꾸벅 머리를 숙였다.

"저, 저기, 카뮤 씨……라고 하면 되죠?"

"응…… 카뮤야."

"다시 인사할게요. 저는 뮤아 카스트레이아예요."

"응…… 잘 부탁해."

카뮤는 평소대로 무표정이지만, 뮤아는 스스로 자기소개를 잘했다고 생각했는지 안도한 표정이었다. 결투 장소에서는 제대로 소개를 하지 못했으니까 그럴 수밖에.

그 뒤 뮤아는 히이로의 어깨에 있는 동물을 힐끔힐끔 봤다. 물어봐도 되는지 고민하는 분위기였다.

"아가씨, 궁금하면 물어보면 되잖아."

"흐아아?!"

갑자기 동물이 말을 해서 놀랐나 보다. 뮤아도 입을 떡 벌리고 얼어 버렸다.

그러자 텐은 뮤아를 향해 폴짝 뛰었고, 뮤아는 허둥지둥 양손으로 텐을 받았다. 이게 원숭이 핸들링인가.

"오~ 나이스 캐치~!"

"어, 아, 고맙습니다?"

뮤아는 설명을 요구하듯 눈만 굴려 히이로의 얼굴을 쳐다봤다.

"걸으면서 그 녀석한테 설명해 달라고 해."

하지만 히이로는 그 말만 하고 앞으로 걸어갔다.

"그러라는데? 잠시 내 말 상대가 되어줄래, 아가씨?"

"그, 그게…… 네."

《왕수》는 여러 거목이 합쳐진 복합체며 그곳을 사람이 살 수 있게 개축한 곳이었다. 전에 히이로도 온 적이 있는데,

언제 봐도 강한 존재감을 내뿜는다고 감탄했다.

그 《왕수》 안으로 들어갔지만, 병사로 보이는 인물이 바로 막아섰다. 하지만 뮤아가 설명해 준 덕분에 어렵지 않게 입장할 수 있었다.

나라가 습격당한 것치고는 《왕수》에 별 피해가 없어 보였다. 뮤아에게 들은 이야기로는 《왕수》를 구성하는 나무들은 자기 치유 능력이 강해서 다쳐도 시간이 지나면 스스로 회복한다고 모양이었다.

일행은 《왕수》 안을 지나서 넓은 공간으로 나왔다. 이곳은 병사들이 훈련하는 연병장이라고 했다. 그곳에서 낯익은 얼굴이 몇몇 보였다.

"응? 너, 너는?! 왜, 왜 이곳에 있지?!"

처음 히이로를 발견하고 소리친 사람은 【수왕국】이 자랑하는 《삼수사》 중 한 명— 바리드. 히이로가 새 인간이라고 부르는 그는 등에 멋진 날개가 나 있었다.

바리드도 결투에 참가한 경험이 있었고 수인에게 패배를 안겨준 장본인인 히이로가 눈앞에 나타나면 당황하는 것이 당연한 반응이었다. 물론 경계하는 것도.

"무슨 목적으로 왔지!"

순식간에 적의에 찬 눈빛을 보내는 터라 뮤아가 당황해서 설명했다. 히이로는 그저 자신들과 이야기를 하러 왔다고.

"……그거 참, 자유로워서 좋으시겠군."

상당히 뼈가 있는 말이지만, 그도 입장상 바쁠 것이다. 나라가 이런 상황이라면 신경이 예민할 수밖에 없으리라.

그저 히이로가 너무 외부 평판이나 입장도 개의치 않고 자유롭게 행동하는 모습에 기가 찼을 것이다.

—두다다다다다다다다.

……어디선가 격렬하게 땅을 박차며 히이로가 있는 곳으로 다가오는 발소리가 들렸다.

"—히이로오오오오오오오오오!"

갑자기 나타난 검은 그림자가 뭔가를 퍽 들이박았다.

"으으~! 히이로오오오! 보고 싶었다냥~! 역시 히이로 냄새가 냐는 건 착각이 아니었다냥~!"

히이로와 싸운 적 있는 쿠로우치라는 수인이었다.

무언가에 안겨서 머리와 몸을 문질문질 비볐지만, 그러다가 우뚝 멈췄다. 그리고 천천히 얼굴을 들었고…….

"냐냥?!"

"아, 아프잖아, 쿠로우치……!"

그곳에는 바리드가 있었다. 쿠로우치가 히이로라고 생각해 안긴 사람은 바리드였다.

"왜, 왜냥?! 히이로가 갑자기 바리드로 변했다냥~?!"

"나, 나는 진짜 바리드다!"

그러자 쿠로우치가 부리나케 바리드에게서 떨어졌다.

"으엑?! 바리드는 냐를 사랑하는 거냥?! 그건 좀 곤란하다냥!"

"왜 그런 결론이 나와! 애초에 나도 정신을 차리니까 네가 붙어 있었어!"

"무의식의 애정?! 그렇게냐 냐를?! 그 정도면 솔직히 무섭다냥!"

"크으윽! 너를 상대하면 내가 속이 터져!"

그런 두 사람을 히이로가 싸늘하게 식은 눈으로 지켜보는데, 옆에서 뮤아가 질문했다.

"저, 저기, 히이로 씨? 혹시 마법으로?"

"그래. 새 인간에게는 미안하지만, 대역으로 썼어."

그 짧은 순간, 히이로는 『교대(交代)』라는 문자를 바리드에게 날렸다. 이 문자는 대상과 위치를 교대하는 효과를 지녔다. 바리드는 그 피해자로 뽑혔을 뿐이었다.

"히이로오오오!"

쿠로우치가 이번에야말로 목표를 포착하고 히이로에게 안기려고 했다. 히이로가 기다리라는 듯 손을 내밀었다.

"잠깐 기다려, 야옹이."

쿠로우치도 히이로가 제지하는 소리를 듣고 브레이크를 걸어 히이로를 올려다봤다.

"냐냥? 왜 그러냥?"

"야옹이, 저쪽을 봐. 재미있는 구경을 할 수 있으니까."

"엥? 어디냥? 뭐가 재미있냥?"

쿠로우치가 히이로에게서 등을 돌리고 두리번거렸다. 하지만 갑자기 머리를 흔들거리더니 눈에도 힘이 들어가지 않는지 자연스레 눈꺼풀이 감겼고…… 몸을 둥글게 만 채로 바닥에서 쿨쿨 잠들어 버렸다.

'……단순해서 다행이군.'

또 마법을 서서 『眠(면)』 자의 효과로 쿠로우치를 조용히 만들었다. 이렇게 보면 히이로와 격투를 벌인 인물이라고는 도저히 생각할 수 없었다.

물론 그때는 흑표가 사람이 된 듯한 모습이어서 강해 보였지만, 지금은 눈처럼 새하얀 머리를 가진 귀여운 어린 여자애였다.

"히, 히이로, 너에게 몇 가지 묻고 싶은 게 있다. 지금 그건 네 짓이냐?"

바리드가 이마에 핏줄을 세우고 일어나서 노려봤다.

"새 인간, 무사했냐?"

"……후, 됐다. 뭐라고 하든 내 입만 아프지."

히이로의 성격을 조금은 파악했는지, 따지는 것도 포기한 모양이었다.

"인사했다고 쳐. 가족의 수치는 가족이 처리하는 법이잖아?"

바리드는 머리를 쥐어뜯었다. 그 말대로 쿠로우치는 수인인 《삼수사》 중 한 명이고, 《삼수사》의 리더인 그가 책임을 져야 마땅할 것이다.

바리드는 행복하게 잠든 쿠로우치를 내려다보며 맥이 풀린 듯이 한숨 쉬었다.

"저, 저기, 바리드 님, 아저씨가 어디 있는지 아시나요?"

"뮤아, 아놀드를 찾나? 아놀드는 지금 정원에 있을 거다."

"정원이라고?"

"아, 히이로 씨가 처음 미미르랑 만난 곳이에요."

어디인지 알아듣고 고개를 끄덕였다. 전망도 좋고 아름다운 꽃과 작물도 자라는 곳이었다. 그런 곳에서 책을 읽는 것도 참 좋겠다는 생각이 들었다.

"그럼 갈까?"

히이로가 걸어가려는데 바리드가 뮤아를 불렀다.

"아, 네. 왜 그러세요?"

"미미르 님은 방에 계실 거다."

바리드는 힐끗 히이로를 보고 살포시 웃음 지으며 말했다.

"분명히 기뻐하시겠지."

"앗, 네! 감사합니다!"

바리드는 고개를 끄덕이고는 다시 일을 하러 돌아갔다.

—정원. 전에 왔을 때와 크게 달라진 점은 보이지 않았다.

화단에 핀 많은 꽃에서는 달콤한 향기가 감돌며 코를 간지럽히고 잔잔한 바람이 꽃내음과 함께 볼을 부드럽게 어루만지는 느낌은 마음을 편안하게 했다.

위를 올려다보니 청명한 하늘이 펼쳐져 있었다. 이런 하늘 아래 있으면 나라가 습격당해서 어수선한 상황이라고는 아무도 생각하지 못할 것이다.

카뮤와 텐도 똑같은 기분인지 눈을 감고 상쾌하게 바람을 쐤다. 다만, 그중에 뮤아는 없었다. 그녀는 잠깐 볼일이 있다며 다른 곳으로 새고 말았다.

찾고 있던 아놀드는 하늘을 찌를 듯 수풀이 자란 곳에서 등을 보인 채 뭔가 작업을 하고 있었다.

자세히 보니 그의 옆에는 작은 소쿠리가 있고 그 안에 아마 약초일 것으로 보이는 풀이나 꽃이 들어 있었다.

"이봐, 아저씨."

작업에 집중해서 이대로는 눈치채지 못할 것 같아서 말을 걸자 성가셔하는 목소리가 돌아왔다.

"엉? 미안한데 지금 바빠…… 음? 뭐야, 히이로잖아? 이야기라면 이따가…… 아니 잠깐, 히이로오오오오오오오?!"

아놀드는 턱이 빠질 만큼 놀랐다. 여전히 반응 하나는 야단스러웠다.

"너, 너너너너너 왜 여기 있어? 너 히이로 맞지?"

"내 얘기는 됐고…… 그 복장은 뭐야?"

아놀드는 지금 밀짚모자에 흰색 일체형 작업복을 입고 있었다.

"응? 아, 이, 이거? 이건 그게…… 쿠크리아 님이 작업할 때는 이렇게 입으래서…….”

“아놀드, 아직 멀었어?! 라이브가 약초를 빨리 가져오라…… 고…… 어?”

그때 나타난 사람은 아놀드가 막 언급한 인물— 제1 왕녀 쿠크리아 킹이었다.

그리고 그 뒤에서는—.

“왜 그러세요, 쿠크리아 언니?”

—이 목소리는 아마도 미미르일 것이다. 돌아보니 미미르 옆에는 뮤아도 있었다. 그녀가 말한 볼일이 무엇인지 바로 이해했다.

놀라는 이들 앞으로 뮤아가 나서서 히이로가 왜 【파시온】에 왔는지를 설명했다.

“흐음, 그래서 나랑 뮤아에게 뭘 전하려고?”

“잠깐만, 아놀드. 그 전에 라이브한테 약초 가져다주고 와.”

“네? 아 참, 그렇죠. 깜빡했다고 하면 누나한테 혼날 테니까.”

일단 이야기는 나중에 하고 다 같이 아놀드의 누나인 라이브에게로 갔다.

라이브는 아놀드의 누나로, 이곳의 메이드장을 맡은 인물이었다. 하지만 지금은 부상을 입고 방에서 요양 중이라고 했다.

“무슨 일 있었어?”

걸으면서 별생각 없이 묻자 아놀드가 쓴웃음을 지으며 설명에 들어갔다.

"선대 마왕의 자객이랑 한판 붙었대."

"……아저씨 누나는 강해?"

"음, 웬만한 병사보다는 강하지. 나도 옛날에는 전혀 못 이겼어."

못 이기는 건 지금도 똑같지 않냐고 마음속으로 따졌다. 실제로 누나에게 설설 기는 모습을 본 적이 있었다.

"그래도 상대가 악명 자자한 악당이라지 뭐야…… 너도 봤지? 지금 《시작의 나무》와 나라가 어떤 꼴인지."

"봤지."

"그 짓을 저지른 게 그 녀석이래. 뭐, 《시작의 나무》를 말라 죽게 만든 범인은 한 명 더 있다고 하지만."

그 자객이 하필이면 왕비인 브란사를 해하려고 했을 때, 라이브가 왕비를 구하러 뛰어들었지만, 예상보다 강한 적의 공격으로 두 팔에 중상을 입었다고 한다.

"……히이로, 부탁이 있어."

"그 상처를 고쳐 달라는 거지?"

"……역시 안 되냐?"

아놀드도 히이로의 성격을 잘 알고 있었다. 대가가 없으면 히이로는 기본적으로 행동하지 않는다. 변덕으로 움직일 때도 있지만, 대부분은 대가를 요구한다. 그래서 말을 꺼내기 어려운 표정을 지었겠지만…….

"해줘도 상관없어."

"저, 정말로?!"

"단."

"아…… 여, 역시……."

뒷말이 남았다는 것을 알고 살짝 기운이 죽어서 어깨를 늘어뜨렸다.

"대가로 오랜만에 아저씨가 요리를 만들어."

"……헤헤, 정말로 너는 한결같구만."

옛날과 전혀 변함이 없어서 히이로의 요구에 어이가 없는 표정이었다. 그래도 왠지 모를 그리움을 느끼고 아놀드와 뮤아는 웃고 있었다.

푸르스름한 입자가 덮고 라이브의 두 팔이 반짝반짝 빛났다. 그 자리에 모인 모든 사람이 그 광경을 조용히 지켜봤다.

"야아, 이거 참 따뜻하네."

침대에 앉은 라이브는 입자에서 전해지는 온기에 안도감을 느끼는 표정이었다. 잠시 후 빛이 작아지고 팔로 흡수되듯 사라졌다.

조금 전까지 라이브의 팔은 피부가 화상으로 짓무르고 고름으로 뒤덮여 거의 팔의 기능을 잃은 듯 보였지만, 지금은 생명력이 느껴지는 혈색 좋은 피부로 돌아왔다.

"우와, 정말로 통증까지 가셨어! 아하하, 대단한 총각이야!"

라이브는 『완치(完治)』 문자로 치유한 두 팔을 붕붕 돌리며 히이로에게 미소 지었다.

"고마워. 오늘부터 마음껏 일할 수 있겠어!"

"누, 누나, 이제 막 나았으니까 오늘만이라도 쉬는 게 어때?"

"모르는 소리 하지 마, 아놀드! 건강할 때 열심히 일한다! 그리고 노후에는 여생을 즐긴다! 그게 누나의 인생 모토인 거 알지?"

라이브는 담배를 입술 사이에 끼우며 이를 드러내 웃었다. 역시 아놀드의 누나다웠다. 그 호쾌한 성격이 감탄스러울 정도였다.

라이브는 자리에서 일어나 히이로 정면에 서서 머리를 숙였다.

"다시 한번 말할게. 팔을 고쳐줘서 고마워."

"아니, 신경 쓰지 마. 대가를 받을 거니까 그거면 됐어."

"그거 말인데, 기왕이면 저런 햇병아리의 얼치기 요리보다 이 라이브 님의 요리를 먹어 보는 게 어때?"

"어, 얼치기 요리……."

아놀드가 어깨를 축 떨어뜨리며 글썽거리지만, 무서워서 반론은 못 하겠는가 보다.

"괜찮아? 의뢰는 아저씨한테 받았는데?"

"괜찮아, 괜찮아. 치료받은 사람은 나잖아. 내가 답례를 해야 도리에 맞지 않겠어?"

도리를 따른다는 그녀의 논리가 마음에 들었다. 이렇게 의리를 다하는 인물은 꽤 좋아하는 편이었다.

"……알았어."

"좋았어! 오랜만에 실력 발휘를 해 볼까! 저녁을 기대해!"

신기하게도 믿음을 주는 웃음이었다. 어두운 것도 모두 감싸서 밝게 비추는 따뜻함이 전해졌다. 아무래도 아놀드처럼 인정이 두터운 성격 같았다.

'남매는 남매군…….'

치료를 끝낸 라이브는 우선 이 일을 보고하려고 가장 자신을 걱정했다는 브란사를 찾아갔다. 그 뒤 식사를 만들겠다고 하니까 기대하고 기다리기로 했다.

그리고 겨우 본론에 들어갈 수 있다고 생각해서 히이로는 아놀드와 뮤아와 마주 앉았다. 그들도 그제야 생각난 것처럼 아차 하며 히이로를 바라봤다.

"히이로 씨, 알려주세요. 우리에게 하고 싶은 이야기가 뭔지."

뮤아의 말을 신호로 히이로가 입을 열었다.

"뭐, 크게 대단한 일은 아니야."

"뜸 들이지 말고 빨리 말해. 오, 혹시 애인이라도 생겼냐?"

아놀드는 실수를 저질렀다. 그 발언의 무게를 헤아리지 못하고 함부로 입을 놀린 것이었다. 그리고 등줄기가 얼어붙는 분위기를 느끼고 나서야 비로소 말실수를 했다는 것을 깨달았다.

"아저씨……?"

"아놀드 씨……?"

뒤에서 심해처럼 차갑고 어두운 눈동자가 아놀드의 등을 찔렀다.

"그런 농담은……."

"삼가주시면 좋겠네요?"

"네, 네에에에엣! 이, 이이이입방정이 심했습니닷! 죄송합니다!"

뮤아와 미미르의 심상치 않은 기운을 감지한 아놀드가 잽싸게 사과했다. 30대 아저씨가 10대 소녀들에게 머리를 조아리는 광경은 많은 애수를 자아냈다.

'불쌍한 중년이군……. 저렇게는 되지 말아야지.'

히이로도 그녀들이 화내는 이유를 어렴풋이 알아차리면서도 함부로 발언하지 않는 편이 상책이라고 생각해 침묵을 지켰다.

하지만 그때 누가 옷을 꾹꾹 잡아당겼다. 돌아보니 카뮤가 무표정한 얼굴로 보고 있었다.

"……히이로, 히이로."

"뭐야?"

"왜 뮤아랑 미미르…… 화내?"

"아, 저 녀석들은 왠지 모르지만 나를 오빠처럼 생각하거든. 오빠한테 여자 친구가 생겼다면 질투할 나이지."

"어…… 히이로, 여자 친구 있어?"

"있을 리가 있냐."

"……그렇구나."

왠지 그때 카뮤가 안심한 표정을 보였다. 설마 카뮤도 자신을 형처럼 생각하는 것일까…….

'나는 딱히 동생을 원한 적이 없는데.'

사람의 표정에는 민감해도 그 진의를 파악하는 능력이 부족한 히이로는 끝내 그들의 마음을 깨닫지 못했다.

"……히이로, 너 둔하냐?"

이번에는 텐이 의구심에 찬 눈으로 물었다.

"내가 어딜 봐서 둔해? 나한테 그런 러브코미디 주인공 같은 기질은 없어."

"……러브, 뭐? 잘은 모르겠지만, 쟤들도 고생이군."

그런 혼잣말이 들렸지만, 시간 낭비는 하지 말고 어서 본론에 들어가고 싶었다.

"그 이야기는 됐고, 계속 설명해도 돼?"

다들 그 말에 정신을 차리고 히이로를 주목했다.

"사실은 말이지—."

히이로는 그들에게 어떤 이야기를 들려줬다. 그리고—.

"——뭐?! 우이 아버지를 찾았어?!"

"저, 정말인가요, 히이로 씨?!"

그 이야기는 이번에 동료가 된 쿠젤 지오에 관한 내용이었다. 그의 딸인 윈카는 함께 여행한 적이 있는 뮤아와 아놀드도 알고 있었다.

뮤아, 아놀드와 헤어질 때 만약 윈카의 아버지를 찾으면 자신들에게도 알려 달라고 부탁했었다. 그들도 윈카를 줄곧 걱정했고 하루라도 빨리 아버지를 찾기를 기원했으니까.

그래서 만약 찾으면 보고하겠다고 약속했었다.

"그랬군. 설마 마계에 있을 줄은 몰랐어."

"으, 응. 그래도 정말로 다행이야. 이제는 우이 씨에게 알리기만 하면 되겠어!"

일단 인맥을 활용해 윈카를 찾고 있다는 이야기를 하자 그들도 안심하며 웃음 지었다.

미미르와 쿠크리아도 자세한 사정을 듣고는 눈물을 흘리며 기뻐했다.

"히이로, 만약 두 사람이 재회할 날이 오면 우리도 불러줄 수 있냐?"

"아, 저도 부탁드릴게요!"

"마계로 와야 할 텐데 괜찮아?"

"안 될 것 없지! 이제는 동맹국이잖냐!"

"부탁할게요, 히이로 씨!"

"그 정도라면 상관없어."

뮤아와 아놀드는 기뻐하며 서로를 보고 웃었다.

"……아저씨, 수왕이랑 잠시 할 얘기가 있으니까 자리를 마련해줘."

"레오우드 님이랑?"

"그러면 나를 따라와."

쿠크리아가 입후보했다. 확실히 친딸인 그녀가 레오우드를 만나기는 더 편할 것이다.

"아……."

아쉬운 소리를 내는 미미르를 본 히이로는 나중에 보자고 말한 뒤, 대신 텐과 카뮤에게 미미르와 놀아주라고 하고 쿠크리아를 따라 그곳을 떠났다.

"―오오, 이야기는 들었다, 히이로. 라이브의 상처를 치료했다지? 내 이렇게 감사하마."

쿠크리아가 안내한 《알현실》에서 히이로를 기다리던 것은 레오우드와 그의 아내 브란사, 그리고 《가장술》의 창시자이자 라라시크의 오빠― 유히트 판날이었다.

히이로는 얼굴을 보자마자 고개 숙이는 레오우드에게 말했다.

"됐어. 그보다 왕이 그렇게 쉽게 머리를 숙이지 마."

"으하하! 고마움을 느끼면 감사를 표해야지. 사람으로서 당연한 일이다."

"맞아요. 라이브는 제 친구이기도 해요. 정말로 감사드려요."

이 사람이 왕비인가. 히이로는 브란사를 관찰했다. 쿠크리아보다 미미르가 어른이 된 듯한 모습이었고 미녀라는 평가를 내리기에 부족함이 없었다. 다만, 쿠크리아처럼 심지가 굳은 눈빛을 보니 과연 부모자식이라는 생각이 들었다.

"그런데 내게 할 말이 있다고?"

이미 이곳으로 안내한 쿠크리아에게 사정은 들은 것 같았다. 참고로 쿠크리아는 미미르가 있는 곳으로 돌아갔다.

"그래. 단도직입적으로 말하지. ――수인계의 한 부분을 갖고 싶어."

""""……!""""

세 사람이 모두 히이로의 어처구니없는 요구에 할 말을 잃은 표정이었다.

"……다, 다시 한번 말해주겠나?"

"못 들었어? 대륙의 일부를 달라고."

"……내가 잘못 들은 건 아닌가 보군. 하지만 히이로, 너무 큰 요구가 아닌가? 음식이나 책 정도라면 모를까, 대륙의 일부라고?"

"그럼 당신이 진 빚 두 개, 그걸 탕감해도 돼."

하나는 레오우드와 결투할 때 했던 내기였다. 히이로가 이기면 빚을 하나 달아 둔다는 약속이었다. 그리고 다른 하나는 그 결투로 레오우드가 빈사의 중상을 입었을 때 치료해준 일이었다.

"……너에게는 미미르의 일도 포함해서 많은 빚을 지긴 했지만…… 으음."

"착각하지 마, 수왕. 그 파랑 리본의 치료는 본인이 진 빚이야. 그건 포함할 필요 없어."

그건 미미르 본인에게 빚으로 달아 두었다. 그래서 수왕이 직접 진 빚은 두 개였다.

"하, 하지만…… 아무리 그래도 대륙 일부를 넘기라는 건……."

"뭐야? 통 큰 왕인 줄 알았는데."

"나라도 대륙 전체를 파악하고 있지는 않고, 그곳에는 그곳에 사는 사람들의 삶이 있다. 나는 왕으로 불리지만, 권력을 휘둘러서 다른 이들의 삶을 위협하고 싶지는 않다."

참 훌륭한 생각이다. 인간인 루돌프 왕에게도 들려주고 싶었다. 하지만 수왕의 이런 반응도 물론 예상했고 반발도 당연하다고 생각했다.

"걱정하지 마. 내가 받고 싶은 곳은 그 황야야."

"황야……? 서, 설마 결투에 썼던 【발라르 황야】 말인가?"

"그곳이라면 우리가 생각하는 조건에 어울려. 그곳에는 사는 사람도 없어."

"네 말대로 그곳에는 아무것도 없다……. 정말로 아무것도 없는 곳이다만?"

그건 안다. 그곳에는 풀 한 포기 없고 몬스터 같은 생물도 확인되지 않았다. 하지만 그렇기 때문에 고른 것이었다.

"말했지? 그곳이 우리 조건을 만족한다고."

히이로의 말을 듣고 브란사는 어리둥절하게, 유히트는 뭔가 재미있다는 듯 히죽거렸다.

그리고 레오우드는 눈을 날카롭게 뜨고 히이로의 생각을 알아내려고 빤히 관찰했지만— 천연덕하고 무표정인 히이로의 생각을 쉽게 간파할 수는 없었다.

"……후우. 대체 거기서 뭘 할 생각이지?"

"구구절절 말하기 싫으니까 간단하게 답하지."

레오우드뿐 아니라 브란사와 유히트도 침을 삼키며 침묵을 지켰다.

"그곳에——【낙원】을 건설할 거야."

"……! 나, 낙원……이라고?"

레오우드가 허를 찔린 얼굴로 되물어서 그렇다고 긍정했다.

"음, 잠깐만 기다려라. 왜 수인계지? 무슨 연유로 그런 걸 만들려고 하나? 아니, 아니지, 애당초【낙원】이 무엇이냐?"

"여보, 그렇게 한꺼번에 물으면 히이로 군도 대답할 수 없어."

연이은 질문에 브란사가 주의를 주자 레오우드도 알겠다며 한숨 섞어 대답했다. 레오우드는 한 번 목을 가다듬고 심호흡하더니 천천히 물었다.

"히이로, 묻고 싶은 말이 많다. 물론 대답해 주겠지?"

"그래, 당연하지."

"좋다. 그럼 우선【낙원】이란 뭐지?"

"쉽게 말하면 어떤 자라도 즐길 수 있는 곳이야. 혹은 편하게 살 수 있는 안식처 같은 곳이지."

"어떤 자라도? 그게 무슨 뜻이지?"

"그 뜻을 답하기 전에, 당신한테 하나 묻고 싶어."

"……뭐냐?"

"당신은 혼혈을 어떻게 생각해?"

그러자 레오우드의 눈썹이 움찔 움직이고 히이로의 생각을 파악했다는 표정을 지었다.

"……그런 뜻이었나. 네가 말하는【낙원】이란 세간에서 기피하는 혼혈의 안식처로군?"

"좀 달라."

"뭐?"

"혼혈만이 아니야. 세상에서 거절당해 갈 곳을 잃은 자들이 인생에 가치를 찾아내는 곳이지."

"……범죄자도 말인가?"

"야, 수왕. 누가 그런 위험한 것들을 받아준대? 물론 개심했다면 일고의 가치는 있다고 말했지만."

"응? 말했다고 했나? 히이로, 이건 네 생각이 아닌 거냐?"

히이로는 이 계획의 발안자가 리린이라고 알려줬다. 리린은【만민이 즐길 수 있는 장소】를 만드는 꿈을 위해 여행을 하면서 동지를 조금씩 늘렸지만, 정작 중요한 그것을 만들 토지를 찾지 못했다.

히이로도 그 꿈이 실현된 미래를 보고 싶어서 할 수 있는 일은 할 생각이었다. 그래서 결투 장소를 보고 이곳이라면 조건에 들어맞지 않느냐고 리린에게 물었다.

그녀도 넓이와 환경도 포함해 이상적인 곳이라고 말했으나, 수인들이 사는 대륙이라는 점이 걱정이었다.

그런 곳에 『마인족』인 리린이 마음대로 【낙원】을 세울 수는 없었다. 그래서 히이로는 레오우드에게 빚이 있다는 사실을 떠올리고 그 대가로 토지 사용권을 받기로 생각한 것이었다.

"흠…… 그 『붉은 장미의 마녀』가 그런 생각을……."

"수인계는 솔직히 말해서 광대한 대륙이야. 사람의 손이 닿지 않은 곳도 많아."

"……왜 수인계지?"

"쉽게 말하면 소거법이야."

"소거법?"

"그래. 우선 인간계는 충분히 넓은 대지를 가졌지만, 도시와 마을이 여러 곳에 흩어져 있어서 아무도 살지 않는 광대한 토지를 얻기 어려워. 그리고 이런 교섭을 인간이 받아들일 리도 없고. 적어도 지금 상황에서는."

특히 지금 국왕은 그 암군 루돌프였다. 혼혈은 고사하고 다른 종족이라는 이유만으로 죽일지 모를 현 상황에서 교섭의 여지는 없었다.

"음, 하지만 마계 또한 넓은 대륙이다. 게다가 도시나 마을도 따로 없다고 들었다. 있어 봤자 작은 부락이 있는 정도지. 【낙원】을 만들 토지는 거기서도 얻을 수 있을 텐데?"

"토지만이라면. 하지만 환경이 문제야."

"환경?"

"당신도 알다시피 마계의 환경은 가혹해. 극한의 땅인데 다음 날에는 폭염이 쏟아지는 경우도 많아. 마치 산 날씨처럼 휙휙 바뀌고는 해. 더군다나 몬스터가 많고 강한 것도 문제야. 랭크A 이상의 괴물이 우글우글한 곳에서 안전한 장소를 찾기는 어려워."

리린도 알맞은 땅을 찾아 헤맸지만, 이상적인 환경은 찾지 못했다.

"그에 비해 그 【발라르 황야】라면 근처에 몬스터도 살지 않고 토지도 넓어. 문제는 그곳에 사람이 살 수 있게 개척하는 거지만, 그건 어떻게든 되겠지. 원래 그곳은 사람이 살았던 곳이라고 하니까."

"그건 그렇지만, 알고 있나? 그곳에 그 크레이터를 낸 건 다름 아닌 『마인족』의 왕이다."

그 크레이터는 선대 마왕 아보로스가 만들었다는 이야기는 히이로도 들었다.

"그런데 『마인족』인 『붉은 장미』가 그런 곳을 만든다고 한다. 이걸 용인하면 여러 문제가 생길 거다."

"그래서 거기가 더 좋은 거야."

"……무슨 뜻이지?"

"과거 그곳은 『마인족』에게 한 번 멸망한 곳이야. 그러니까 지금 세상의 상식을 바꾸기 위해서라도 『마인족』이 그곳에서 번영을 이루어야 해. 그리고 그 번영의 수혜를 수인들에게 조금씩이라도 나눠주면 돼. 그 녀석은 그렇게 말했어."

"……."

"그 녀석도 하루아침에 수인의 인식이 바뀐다고는 생각하지 않겠지. 하지만 그곳에 서로 다른 종족이 손을 맞잡는 다리를 놓으면 된다고 생각하더군. 종족에 따른 가치관 차이는 있는 게 당연해. 하지만 그 가치관 차이는 갈등이 아니라 서로에게 좋은 자극을 주기 위해 있는 거야."

리린은 옛날부터 아깝게 생각했다고 한다. 종족에게는 저마다 개성이 있고 무언가 뛰어난 점이 있다. 그렇다면 그 장점으로 서로가 경쟁하면 더 좋은 결과가 나오지 않을까, 라고.

"그리고 언젠가는 이단시되는 자들뿐 아니라 진정한 의미로 모든 이가 어울려 살 수 있는 곳이 되면 돼. 그러면 많은 일을 할 수 있지. 종족 간의 위신을 건 무술 대회, 전 세계 요리사를 모은 요리 대회, 그밖에도 마법 대회나 장기자랑 대회까지. 상상만 해도 가슴 뛰지 않아?"

저마다 히이로의 말에 표정을 바꾸었지만, 역시 세 사람 모두 놀란 기색이 가장 강했다.

"그러기 위해서는 넓은 땅이 필요해."

"그래서 그곳을 선택했나…… 흠."

레오우드는 턱에 손을 대고 생각에 빠졌다. 문득 그의 시선이 유히트를 향했다.

"유히트, 너는 지금 이야기를 어떻게 생각하지?"

"뇨호호호! 말 그대로 공상이군요!"

"그렇지."

"그래도…… 재밌을 거 같네요~! 저도 모르게 지지하고 싶다는 생각이 들었어요! 뇨호호호!"

"……브란사."

브란사에게도 의견을 들으려고 그녀의 얼굴을 보지만, 브란사의 눈은 밝게 빛나고 있었다.

"여보, 어려운 문제가 산더미처럼 있기는 해. 그래도 나는, 저 【낙원】을 보고 싶어졌어. 후후, 유히트랑 똑같아."

"으, 음…… 그런가."

"【만민이 즐길 수 있는 장소】. 그런 곳이 정말로 있다면 누구나 마음 붙일 수 있는 안식처가 될 거야. 요리 대회와 무술 대회. 그밖에도 여러 가지, 하나같이 매력이 있고 즐겁겠어!"

그녀는 레오우드와 정반대로 손뼉을 치며 어린아이처럼 웃었다.

"그게 끝이 아니야. 스포츠 경기에 쓸 체육 시설도 구상 중이지."

"와아, 그거 멋진 생각이에요!"

그 얼굴은 미미르와 쿠크리아가 웃을 때와 판박이였다. 역시 모녀라고 느꼈다.

"브란사는 이렇게 말하지만, 역시 쉽게 승낙할 수는 없다. 특히 지금 정세에서는 어려워. 『마인족』과 동맹은 맺었지만, 여전히 『인간족』과는 고착 상태다. 게다가 이 나라를 공격한 《마타르 데우스》라는 문제도 있어."

레오우드가 심각한 표정으로 말하자 들떴던 브란사의 표정에도 그늘이 드리웠다.

"착각하지 마, 수왕. 어디까지나 우리 의견을 말했을 뿐이야. 실현될지 어떨지는 당신이 적로리와 대화해야지. 나는 어디까지나 보조니까. 뭐, 나도 빨리 그 토지를 양보해주면 문제가 일찍 정리돼서 좋지만, 가령 양보받아도 지금 당장 할 수 있는 일도 아니야. 우리도 우리대로 그 선대 마왕을 방치하면 귀찮아져."

모든 사람을 내려다보는 듯한 그 웃음을 떠올리면 짜증이 밀려왔다.

"어쨌든 당신은 이 일은 긍정적으로 검토해 주기만 하면 돼."

"……미안하군. 나도 너를 믿고는 있지만."

"신경 쓰지 마. 왕의 입장에서는 지금 판단이 옳아. 방금도 말했다시피 자세한 이야기는 적로리한테 들어."

"그래야겠군. 솔직히 나도 【낙원】에 흥미는 있다. 모든 이가 웃을 수 있는 곳이 있다면 그건 틀림없이 좋은 일이니까."

이야기를 하러 오길 잘했다. 처음부터 한 번에 정리될 이야기는 아니었다. 쉽게 결단을 내리지 않은 레오우드를 칭찬하고 싶을 정도였다.

왕으로서, 그리고 수인으로서 백성을 챙기며 타 종족까지 생각하는 자세를 본 것만으로도 수확이었다.

'한 발씩이라도 앞으로 나아가는 데 의미가 있으니까.'

히이로는 다시 정원에 와 있었다. 그곳에는 뮤아와 다른 지인이 한자리에 모여 있었다.

기울어 가는 해를 보고 라이브가 준비할 저녁 식사를 기대하던 그때, 미미르가 어떤 제안을 했다.

"히이로 님이 오신 기념으로 다 같이 정원에서 식사를 하는 건 어떨까요!"

딱히 식사만 할 수 있으면 어디든 상관없으니까 크게 고민하지 않고 수락했다.

정원에 설치된 대형 탁자에 자리를 잡고 잠깐 기다리자 오늘 일을 마쳤는지 아놀드와 바리드도 차례차례 정원으로 모였다.

"히이로오오오오!"

"다, 달라붙지 말라고 했잖아, 야옹이!"

히이로의 마법을 맞았을 때부터 쭉 잠들어 있었다는 쿠로우치는 깨어나자마자 히이로의 냄새를 맡고 쏜살같이 정원으로 왔다.

"쿠, 쿠로우치 씨, 안 돼요! 히이로 님도 곤란해하잖아요!"

미미르가 평소 보이지 않는 조바심 어린 표정으로 쿠로우치에게 강하게 주의하지만…….

"싫다냥, 싫다냥! 낮에는 졸려서 못 안았다냥! 그러니까 지금은 내가 충전할 차례냥~!"

붕붕 고개를 저으며 떼를 썼다. ……어쩔 수 없지.

"……앗! 저건 뭐지?"

"냐하하! 아까는 속았지만, 이젠 안 속는다냥~!"

……주제에 학습도 하나 보다. 귀찮게. 하긴, 《삼수사》가 이런 수법에 계속 걸리면 그건 그것대로 문제지만.

'몰라, 귀찮아. 놔두면 알아서 질리겠지…….'

생각해 보면 쿠로우치는 미카즈키나 닛키와 같은 분위기였다. 금방 다른 것에 관심을 가지고 떨어질 테니까 그냥 두기로 했다.

"아, 그러고 보니 히이로! 냐를 부를 때는 시럽이라고 하라냥!"

"뭐? 왜 갑자기?"

"내 진짜 이름이다냥. 쿠로우치라는 이름과 그 검은 모습은 얕보이지 않으려고 《어둠의 가장술》로 만든 거다냥. 특히 전투 모드일 때는 그 모습이 리치도 길고 편해서 쓰고 있다냥!"

듣고 보니 흑표가 의인화한 그 모습은 유연한 근육질 체구에 팔다리도 길어서 전투에 큰 무기가 될 듯했다.

"그러니까 시럽이라고 불러냥!"

"싫어."

"왜?!"

"부르기 싫으니까."

"으~냥~! 그럼 불러줄 때까지 안 떨어져냥~!"

정말로 귀찮았다. 하지만 본명을 부르면 더 달라붙을 것이 안 봐도 뻔해서 방치하기로 했다.

"으으…… 부러워……."

"미, 미미르도 히이로 님에게……."

뮤아와 미미르는 자기 욕망에 한없이 충실한 쿠로우치를 부럽게 바라봤지만, 그런 쿠로우치의 뒤로 작은 그림자가 뚜벅뚜벅 다가왔다.

그림자는 쿠로우치의 옷깃을 붙잡더니…….

"으냥?! 에? 아? 뭐, 뭐냥? 누구냥?!"

갑자기 옷을 잡아당겨 히이로에게서 떨어진 쿠로우치가 당황해서 외쳤다. 그리고 뒤에서 자신을 들고 있는 인물을 돌아봤다.

"냥?! 프, 프티스?!"

그곳에는 앙증맞고 귀여운 펭귄 인형 옷을 입은 《삼수사》가 있었다.

"쿠로…… 일, 남았어."

"거, 거짓말이다냥?!"

"거짓말 아니야. 쿠로 잤어. 그때 쌓인 거. 그러니까 따라와."

"안 돼냐아아아아아앙~! 히이로오오오오오~!"

가엾은 야옹이……. 프티스에게 끌려 정원에서 강제 퇴출 당했다. 그런데 뮤아와 미미르는 왠지 프티스에게 엄지를 들고 있었다. 정말 죽이 잘 맞는 둘이다.

그리고 잠시 후, 시녀들이 탁상에 요리를 차리기 시작했다. 꽃이나 작물의 향기로 가득하던 이곳은 순식간에 요리의 먹음직한 냄새로 채워졌다.

상처를 치료해준 답례로 라이브가 실력을 발휘한 요리들이었다. 보기만 해도 맛이 느껴지는 듯한 요리뿐이라서 저절로 군침이 돌고 배에서 꼬르륵 소리가 났다.

"응…… 맛있겠다."

카뮤도 요리에 눈길을 빼앗겼고 입으로 침이 흘러나왔다. 텐도 환성을 지르며 탁자 위에서 폴짝폴짝 뛰었다.

"오오, 이거 멋지군."

"후후, 그러네."

레오우드와 브란사가 함께 얼굴을 보이러 왔다. 하지만 히이로의 주의를 끈 것은 두 사람 뒤에서 찾아온 인물이었다. 어디서 본 적이 있었다. 그중 한 사람이 히이로 앞으로 성큼성큼 걸어왔다.

"어이, 빨간 로브. 나랑 한판 붙자!"

갑자기 손가락을 들이밀며 뜬금없이 선전포고를 했다.

"어허, 레니온. 손님에게 무례하잖아!"

생각났다. 지금 눈앞에서 히이로를 노려보는 사람은 제2 왕자 레니온이고, 그를 타이르는 쪽은 제1 왕자 렉글루스였다.

"맞아. 레니 오빠는 오자마자 무슨 생뚱맞은 소리야?"

쿠크리아도 조금 어이없어하며 말했다. 하지만 두 사람이 주의하거나 말거나 레니온은 노려보는 눈을 거두지 않았다.

"됐고, 나랑 한판?!"

머리를 덥석 붙잡힌 레니온이 그 상대를 째려보려는데…….

"혈기는 좋지만 때와 장소를 가려라, 레니온."

"으…… 아, 아버지……."

레오우드가 특유의 관록으로 레니온의 입을 틀어막았다.

"그래, 레니온. 지금은 식사를 즐길 때잖니."

브란사까지 가세하자 더 할 말이 없는지 혀를 차고 정원에서 나가 버렸다.

"하여간 저 녀석은……. 죄송합니다, 히이로 공."

그 태도만으로 렉글루스는 능력 있는 왕자라고 느꼈다.

자신들을 패배시킨 장본인 앞에서 레니온의 태도는 충분히 이해할 수 있었다. 그리고 렉글루스도 그런 감정은 있을 것이다. 그런데도 겉으로 드러내지 않고 머리를 숙였다. 레니온과 달리 그에게서는 왕의 자질이 느껴졌다.

'제1 왕자는 뭐가 달라도 다르군…….'

솔직히 레니온처럼 알기 쉬운 성격도 싫어하지는 않는다. 그런 유형은 어떻게든 제어가 되니까. 감정대로 행동하는 자일수록 통제하기 쉽다.

렉글루스는 사과 한마디를 남기고 레니온을 뒤쫓았다. 동생의 분노도 달래주려는 것이다. 정말로 기특한 장남이었다.

레오우드가 히이로에게 미안하다고 사과했다.

"됐어. 하지만 차기 국왕으로 키울 생각이면 저 녀석은 조심해."

"으하하, 아픈 곳을 찔렸군!"

"여보, 웃을 일이 아니야. 정말로 미안해요, 히이로 군. 저도 따끔하게 혼내 둘게요."

브란사도 용서를 빌었다. 부모도 참 고생이라고 생각하며 어깨를 으쓱했다.

그러던 때, 갑자기 손뼉을 짝짝 치는 소리가 들려서 돌아보자 어느샌가 라이브가 탁자 옆에 서 있었다.

"자자! 여기 주목!"

그녀 뒤에 선 시녀들이 커다란 접시 하나를 들고 있었다. 접시가 탁자에 놓이고, 라이브가 그 위에 덮인 반구형 뚜껑을 잡았다.

"잘 봐, 손님! 이게 메인디시! 라이브 특제—."

그러고 힘껏 뚜껑을 들었다.

"—《4색 깜짝 만주》야!"

적, 청, 녹, 백. 4색으로 나뉜 만주가 피라미드처럼 쌓여 있었다. 뚜껑을 연 순간 강렬한 마주 향기가 코를 자극했다.

자꾸만 침이 나와서 멈추지 않았다. 빨리 입에 넣으라고 재촉하는 것 같았다.

"자, 마음껏 드셔!"

어느 요리도 맛있어 보였지만, 역시 마음을 끄는 건 만주였다. 카뮤와 텐도 같은 생각인지 눈을 떼지 못했다.

하지만 막상 만주를 먹으려고 하니까 무엇부터 집어야 할지 고민됐다. 아마 4색 만주는 각각 맛이 다를 것이다. 하지만 라이브는 아직 설명할 생각이 없는지, 히죽히죽 웃으며 히이로 일행을 바라봤다.

"너희는 뭘 먹을 거야?"

"나…… 파랑."

"그럼 나는 초록색!"

"흰 머플러는 파랑, 노란 원숭이는 녹색인가. 그럼 나는…… 빨강이군."

각자 손에 든 만주를 물끄러미 바라본 뒤, 동시에 덥석 베어 물었다.

"—앗뜨?!"

순간 만주 안에서 육즙이 홍수처럼 흘러넘쳤다. 심지어 육즙의 열기가 입 안을 자극했다. 혀를 델 만큼 뜨거운 육즙이지만, 여기서도 진한 고기 맛이 났다.

혀를 찌르는 고추 같은 매운맛. 그리고 폭신하고 두꺼운 만주 안에는 미트볼처럼 뭉친 물체가 있었다.

무슨 고기인지 몰라도 굉장히 여운이 오래 가는 맛이었다. 고기 자체는 진하게 간을 했지만, 육수처럼 흐르는 즙은 감칠맛이 강하면서도 담백하여 맛의 균형을 절묘하게 잡았다. 거기에 아까 말한 매운맛이 적당하게 식욕을 자극했다.

카뮤 쪽을 돌아보니 눈을 초롱초롱 빛내며 파란 만주의 내용물을 보여줬다. 안쪽까지 파란 그것은 자세히 봐도 정체를 알 수 없었다.

"히이로…… 이거 맛있어."

"이것도 무지무지 맛있어~!"

텐도 만족스러웠나 보다. 그때가 되어서야 마침내 라이브가 설명에 들어갔다.

"빨간 만주에 든 건 고기가 아니야. 《적면 대두》로 만든 《적면 두부》지!"

"이, 이게 두부라고?!"

식감은 틀림없이, 아니, 식감뿐 아니라 맛도 고기 그 자체였다. 하지만 그녀의 말에 따르면 붉은색을 띤 두부—《적면 두부》는 튀기면 응축되어 식감이 더 고기와 비슷해지고 맛도 같아진다고 했다. 그것을 반죽으로 감싸서 찌면 붉은색이 겉면까지 침투해 새빨간 만주가 완성된다.

'《적면 두부》에는 그런 특성이 있나.'

원래 그대로 먹어도 맛있지만, 만주로 만들면 모든 맛을 놓치지 않고 가둘 수 있어서 감칠맛이 더욱 늘어난다고 했다.

"그리고 다음은 파랑. 파란 만주에는 《청운 돼지》 고기를 썼어."

《청운(青雲) 돼지》 고기는 색이 청백색에 이름을 보면 알 수 있듯 구름처럼 부드러운 식감을 가졌다. 그 고기를 갈아서 반죽에 섞어 푸르게 만들었고, 그것으로 또 큼직하게 썬 고기를 감쌌다. 안에는 매콤달콤한 소스까지 곁들였으니 든든한 음식을 찾는 사람에게 추천한다고 했다.

"다음은 초록색인데, 이건 《녹황 토마토》를 썼어."

《녹황 토마토》라는 것은 시기에 따라서 녹색과 노란색으로 변색하는 특수한 토마토며 노란색일 때는 강한 독성을 가졌다. 또한, 녹색 시기가 굉장히 짧고 열매마다 시기가 달라서 요리에 사용하기 굉장히 까다로웠다.

하지만 그 맛은 참으로 뛰어나며 마치 과일 같은 단맛과 산미가 있었다. 영양가도 풍부해서 여성에게 사랑받는 음식 중 하나였다.

그 토마토를 반죽에 넣고 안에도 건강에 좋은 채소를 채웠다. 채소도 다양해서 열 종류 이상을 엄선해 아낌없이 사용했다.

채소의 감칠맛이 꽉꽉 응축된 그야말로 명품 요리였다.

"마지막으로 흰 만주. 여기에는 환상의 과일 《백은도》가 들었어!"

들은 적 있는 이름이었다. 《백은도(白銀桃)》— 겨울철, 그것도 어떤 산 정상에서만 난다는 환상의 과일.

크기는 평범한 복숭아와 같지만, 색은 이름 그대로 백은색이며 시장에 나오면 믿어지지 않는 고가에 팔리는 물건이었다.

히이로는 반사적으로 손을 뻗어 흰 만주를 입에 넣었다.

"—으으음?!"

입 안 가득 퍼지는 복숭아 향과 단맛. 이건 팥소일까…… 복숭아의 고급스러운 향과 산미에 팥소의 달콤함은 가히 최고의 조합이었다.

'복숭아 향이 엄청 강하군. 달고 맛있고…… 예술적이야!'

아마 반죽에 복숭아를 섞었나 본데 환상이라는 말이 어울리는 맛이었다. 게다가 팥소뿐 아니라 복숭아 자체도 들었는지 양쪽의 맛을 모두 즐길 수 있었다.

"하하하, 어때? 깜짝 놀랄 만큼 맛있지, 히이로!"

아놀드가 자랑하듯 말하지만, 이 만주는 《4색 깜짝 만주》라는 이름대로 경악을 일으키는 요리였다.

그뿐만 아니라 그 외에도 아직 매력적인 요리가 탁상이 휘어지게 차려져 있었다. 이 얼마나 멋진 날인가. 히이로의 입매가 자연스럽게 느슨해졌다.

최고의 요리를 음미하며 다른 이들과 함께 식사를 즐기던 그때.

"저, 저기……."

뒤에서 가느다란 목소리가 들렸다. 바로 그 정체가 미미르라는 것을 알았지만, 그 표정은 쑥스러워 보였고 몸도 꼼지락대고 있었다.

"……뭐야?"

"저, 그게……."

"미미르, 힘내!"

조금 거리를 두고 뮤아가 미미르에게 성원을 보냈다. 미미르도 고개를 끄덕이고는 눈을 질끈 감으며 목소리를 쥐어짰다.

"히, 히이로 님! 제, 제 노래를 들어줏세욧! 아으…… 말이 꼬였어요……."

혀도 참 귀엽게 꼬였다.

"……노래?"

"네, 네!"

토마토처럼 새빨간 얼굴로 대답하는 미미르를 보고 떠올랐다. 그러고 보니 다음에 만나면 그녀가 잘 부르는 노래를 들려 달라고 말한 기억이 있었다.

미미르는 이 나라에서는 가희로 통했다. 한때는 목소리를 내지 못하는 병을 앓아 그 노랫소리를 잃었지만, 히이로의 치유 덕분에 그녀는 다시 노래를 부를 수 있게 됐다.

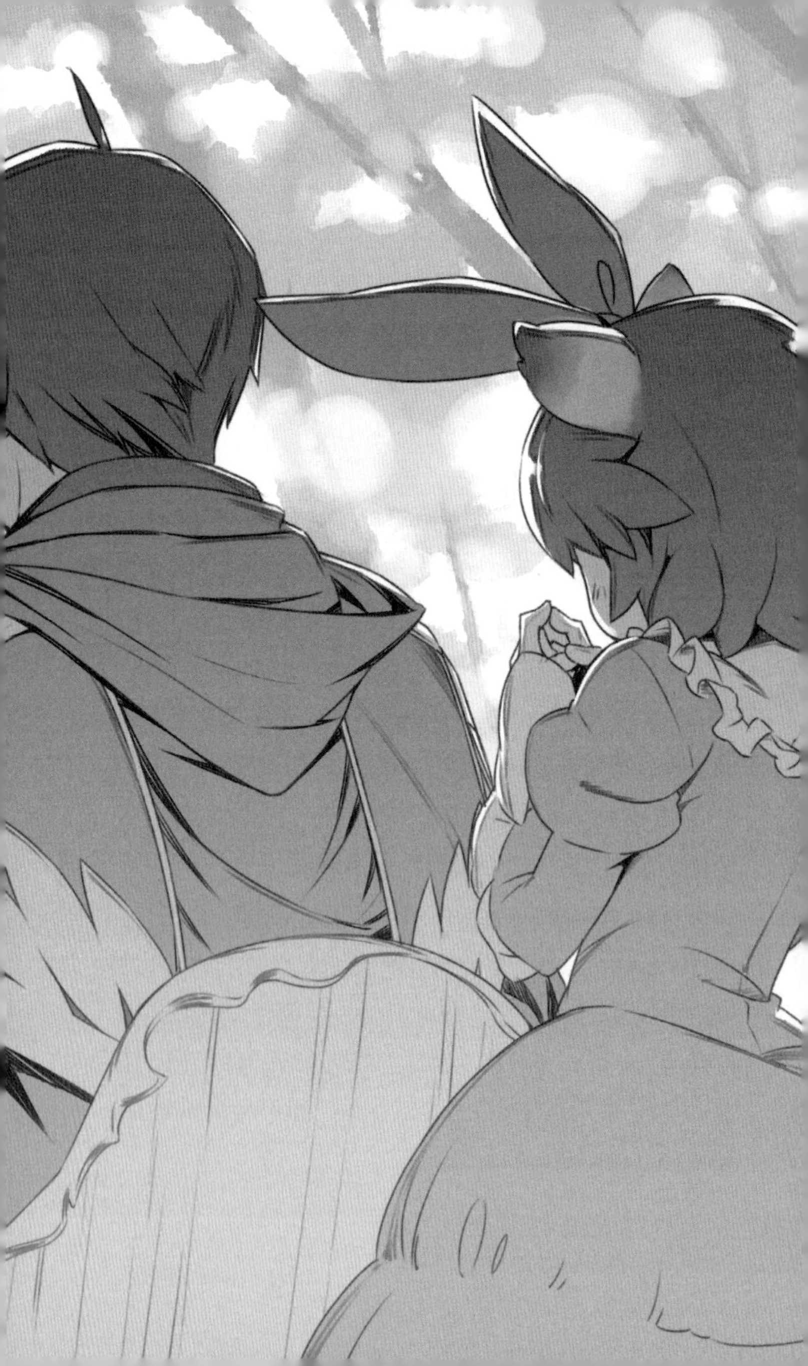

"여기서 불러?"

"아, 안 되나요?"

살짝 불안하게 눈망울을 적시며 물었다.

"노래를 불러 달라고 한 사람은 나니까. 네가 여기서 불러도 된다면 문제없어."

"에헤헤, 히이로 씨! 미미르 노래는 굉장해요!"

"으하하! 뮤아 말이 맞다! 내 딸의 천사 같은 가창력에 흠뻑 취해 보아라!"

이 팔불출 수왕이 또 시작이라고 생각했지만, 레오우드뿐 아니라 모든 수인이 그렇게 생각하는지 시녀와 병사가 준비한 간이 무대를 향해 걷는 미미르를 모두 기대에 찬 눈으로 바라봤다.

이미 해도 저물어 하늘에는 별이 반짝여서 무대는 조명이 밝혀졌다.

미미르가 무대 위에 서서 모든 시선을 한 몸에 모으며 조용히 입을 움직였다.

"지금부터 부를 노래는 히이로 님을 위해서 만든 노래예요."

미미르가 똑바로 히이로의 눈을 바라봤다. 볼에는 홍조가 떠올랐고 조금 긴장한 것처럼 보였다. 하지만 숨을 길게 뱉어 호흡을 가다듬은 뒤, 미미르는 평소처럼 귀여운 웃음을 지었다. 그리고 양손을 가슴 앞에 모으고 기도하는 자세를 취했다.

"그럼 들어주세요. 곡의 제목은—『이 마음이 닿기를』."

모두 조용히 지켜보는 가운데, 미미르의 분위기가 한순간에 변모했다. 그 표정에서 긴장의 빛이 온데간데없이 사라졌고, 아직 어린아이인 그녀가 어른스러운 인상으로 변했다.

살포시 눈을 감은 미미르의 입술이 조용하게 소리를 연주했다.

그 날은 아주 부드러운 햇살이 감싸주었죠.

아주 자유롭고 눈부신 당신, 흔들림 없는 눈동자가 나를 바라보네요.

제 마음을 따뜻하게 비추죠, 소중한 것을 되찾아 주어요.

머나먼 곳으로 떠나는 당신, 저는 열심히 그 뒤를 좇아요.

언젠가 멀리 선 그 어깨와 나란히 걸으리라 믿고.

언제나 저는 당신을 생각해요, 그리고 기도해요.

당신이 무사하기를, 웃음이 끊이지 않는 나날을 보내기를.

이 마음이 닿기를.

맑고 아름다운 목소리가 잔잔한 멜로디에 실려 고요한 정원에 울려 퍼졌다.

무척 마음이 편안해지는 노랫소리였다. 그 소리를 듣고 소름까지 돋았지만, 언제까지고 듣고 싶다는 생각이 들었다.

귀를 넘어서 마음에 직접 전해지는 노래. 하지만 그 노래의 대단함은 그게 다가 아니었다.

'뭐야…… 저 녀석 주위가 빛나잖아……?!'

작은 빛 알갱이가 무수히 그녀 주위에 떠 있었다. 그 빛들은 마치 그녀의 노래를 응원하는 것처럼 반짝였고, 그 모습은 마치 별빛에 둘러싸인 것만 같았다.

환상적인 광경이 보는 이의 마음을 사로잡았다. 대체 그 빛 알갱이가 무엇인지 신기하게 생각하는데 옆에 있던 텐이 목소리를 죽이고 알려줬다.

"놀라운데……. 저 아가씨, 정령과 감응하고 있어."

그 빛이 모두 정령이라고 했다. 단, 텐 같은 고위 존재는 아니며 자연계에 태어나서 아직 형태도 갖추지 못하고 힘도 거의 없는 왜소한 존재였다.

하지만 보통 수인이 이렇게 모르는 정령에게 감응하고 노랫소리만으로 그들을 불러일으킨 것에 텐은 놀라고 있었다. 그런 일이 가능한 것은 어지간히 정령에게 사랑받는 자거나 정령 그 자체밖에 없다고 말했다.

'그러고 보니 저 녀석…… 보통은 보이지 않는 것이 보인다고 했지.'

처음 만났을 때 일을 떠올렸다. 그때 히이로는 『투명(透明)』 문자를 써서 이 《왕수》 안을 돌아다니고 있었다.

지나치는 자들은 히이로가 바로 옆을 통과해도 눈치채지 못했다. 그런데 미미르는 한눈에 히이로의 존재를 간파했다. 그때는 히이로도 적잖이 놀랐다.

미미르는 옛날부터 유령이니 정령이니 하는 것을 볼 수 있었다고 말했는데, 이 현상도 그녀의 신비한 힘이 일으킨 일일지도 모른다.

돌아보니 주변 사람들은 황홀하게 미미르를 바라보고 있었다. 누구 하나 눈을 돌리지 않고 노래와 그녀의 모습에 매료되었다.

'정말로 천사가 정원에서 노는 것처럼 보이기도 하는군.'

그리고 미미르가 조용히 입을 닫았다. 동시에 하늘을 찌르는 환성과 박수가 그녀를 향해 쏟아졌다. 정령들도 충분히 만족했는지, 상공으로 춤추며 사라졌다.

긴장 때문일까, 아니면 쑥스러워서일까. 얼굴이 상기된 미미르가 부끄러워하며 히이로와 눈을 마주쳤다.

"저, 히, 히이로 님…… 노래…… 어, 어떠셨나요?"

조그만 몸을 꼼지락대며 묻는 모습은 보호 욕구를 자극할 만큼 귀여운 분위기를 내고 있었다. 아놀드와 시우바라면 있는 힘껏 껴안았을지도 모른다.

그런 그녀에게 히이로도 솔직한 감상을 전해야겠다고 생각했다.

"예상 이상으로 잘 불러서 놀랐어. 대단하네."

"저, 정말인가요? 저, 정말로 정말?!"

눈을 크게 뜨고 다가오는 그녀의 이마를 검지로 살며시

찔렀다.

“가희라고 불릴 만해. 제법인데.”

펑, 하고 미미르의 얼굴이 순식간에 새빨갛게 익어 버리더니…….

“그, 그그그그그게 저, 처처처처처천마녜여!”

그 말만 하고 양손을 볼에 댄 채 전속력으로 뮤아에게 달려갔다. 뮤아는 잘했다고 말하며 그녀를 안아주고 머리를 쓰다듬는데…….

‘너무 부끄러워하잖아. 혀도 너무 꼬이고…….’

노래를 부를 때마다 저렇게 부끄러워해서 가희가 될 수 있을까 걱정됐지만, 히이로가 고민해도 소용없는 일이라서 곧 생각하기를 포기했다.

“에헤이, 이 녀석 딱 봐도 모르는 눈치네.”

텐이 중얼거리는 소리가 귀에 들어와서 무슨 말이냐고 물어봤다.

“글쎄다~. 내가 알려주는 건 지나친 참견 같으니까 네가 빨리 눈치채는 수밖에.”

대체 이 원숭이는 무슨 소리를 하는 걸까…….

“음! 역시 우리 딸이다! 세계로 나아갈 가성이구나! 으하하!”

전쟁 중에 웬 세계냐며 마음속으로 딴지를 거는데 쿠크리아가 히이로에게 다가왔다.

“어땠어, 내 동생의 노래는? 대단하지?”

"응? 방금 말했잖아. 수왕은 아니지만, 내가 아는 세계에서는 높은 곳까지 올라갈 수 있겠어."

저 외모에 누구나 매료되는 노랫소리. 분명히 세계에서 인정하는 아티스트가 될 것이다.

"세계? 아, 맞아. 너 이세계에서 왔다고 했었나?"

"그래."

이미 숨길 마음은 없어서 망설임 없이 긍정했다.

"이세계에서도 먹히는 수준이라는 거지…… 역시 미미르는 대단해."

"……? 뭐야, 그 동생의 재능에 콤플렉스 가졌다고 광고하는 듯한 얼굴은."

"으…… 그, 그런 얼굴 아니야!"

당황해서 얼굴을 돌리며 말해 봤자 전혀 설득력이 없었다. 하지만 미미르의 노래는 분명히 상식을 벗어났다고 느꼈다. 흔히 말하는 천부적 재능을 본 기분이었다.

그만큼 사람의 눈을 사로잡는 강렬한 재능이라면 언니로서 질투하는 것도 이상하지 않은 이야기였다.

그녀가 얼핏 보인 그늘진 표정이 살짝 마음에 걸려서 히이로는 변덕을 부려 말했다.

"……그러고 보니 너, 국민한테 인기 있다며?"

"……응?"

무슨 소리냐는 얼굴로 쳐다보지만, 무시하고 말을 이었다.

"국민 한 명 한 명의 이름과 얼굴을 기억하는 건 그 새 인간이랑 너뿐이라고 하더군."

"그, 그건 단순히 내가 기억력이 좋을 뿐이야."

"게다가 거의 매일 거리로 나가서 국민들의 목소리를 듣는다고 하잖아. 그건 아무나 할 수 있는 일이 아니야. 그야말로 왕족의 귀감이지. 동생의 재능을 부러워하는 건 자유지만, 자기에게도 뒤지지 않는 재능이 있다고 걸 깨닫도록 해."

그러자 잠시 말이 없던 쿠크리아가 픽 미소를 짓고 나지막한 목소리로 중얼거렸다.

"그렇구나, 미미르와 뮤아가 너를 마음에 둔 이유를 알 거 같아."

왠지 묘하게 쿠크리아가 개운한 표정을 짓는데, 좋은 게 좋은 거라고 생각해 넘어갔다. 이런 곳에서 어두운 분위기를 반길 사람은 아무도 없다.

그렇게 밤하늘 아래에서 이루어진 만찬은 미미르의 노래로 막을 내리고 저마다 제 갈 곳으로 떠나갔다.

제4장 마타르 데우스의 암약

【인간국 빅토리어스】의 왕성에 있는 테라스에서 한 남자가 가부좌를 틀고 명상하고 있었다.

국왕 루돌프 반 슈트라우스 알크레이엄의 대역으로 나라를 맡고 있는 쥬돔 란카스였다.

쥬돔은 여러 방면에서 믿을 수 있는 자들을 모아 국왕이 광인이 됐다는 사실에 혼란스러워하는 국민을 진정시켰다. 처음에는 혼란이 혼란을 부르고 귀족과 병사까지 동요해 나라가 흔들렸지만, 지금은 조금씩 안정을 되찾고 있었다.

그것도 모두 쥬돔의 수완과 그가 불러들인 동지들이 분투한 결과였다. 하지만 그래도 모든 불안을 불식할 수는 없었다.

신뢰하던 국왕의 믿을 수 없는 행동, 구세주로 추앙받던 용사의 실종 등 악재가 겹쳐 국민들의 마음에는 큰 불안이 남아 있었다.

언제 다른 종족이 쳐들어올지 모르는 상황 속, 국민 사이에서도 『마인족』과 『수인족』이 결탁했다는 소문이 퍼지고 말았다.

왕족과 귀족 중에는 이것이 진실이라고 확신하는 자가 많았다. 그리고 이 충격은 국민들의 불안을 부채질했다.

쥬돔은 이베엄이 단순한 복수를 하려고 【빅토리어스】를 공격하리라고는 생각하지 않았다. 그리고 동맹을 맺은 수왕도 아직 이렇다 할 움직임이 없어서 이번 동맹을 그다지 급박한 사태라고 보지 않았다.

물론 그렇다고 완전히 경계를 풀지는 않았다. 진심으로 안심하지도 않았다. 그저 오랜 세월 싸워온 감으로 당분간은 두 종족이 공격하지 않으리라고 느꼈다.

하지만 귀족들에게 이 이야기를 해 봤자 괜한 반발만 낳을 뿐. 개중에는 상대방이 준비를 마치기 전에 급습하자는 가당치도 않은 의견을 내는 자도 있었다.

공격받기 전에 공격한다. 그래서는 실패를 거듭하는 루돌프와 다를 바가 없었다. 지금 해야 할 일은 나라의 혼란을 한시라도 빨리 수습하고 나라가 흔들리지 않게 기반을 바로 잡는 것이었다.

쥬돔은 귀족들에게 그렇게 주장했지만, 납득하는 사람은 적었다. 그들은 아마 무서울 것이다. 『수인족』과 『마인족』에게 줄곧 비인도적인 만행을 저질러 온 것이 그들과 그들의 관계자니까.

그렇기에 보복을 두려워했다. 그렇기에 죽기 전에 죽이려고 했다.

'한심하기 짝이 없어…….'

쥬돔은 눈을 감고 이토록 나라의 상층부가 썩어갈 때까지 깨닫지 못한 자신을 부끄러워했다. 그리고 틀림없이 거기에 가담했을…… 아니, 지도자였을 친구 루돌프의 멍청함에 치를 떨었다.

옛날에는 벌레 한 마리 죽이지 못할 만큼 착하고 온후한 소년이었다. 왕으로 즉위하고도 그 점은 전혀 변하지 않았고, 국민들도 그런 루돌프를 믿으며 지지하려고 분투했다.

언제부터였을까, 그가 변해 버린 건…….

과거를 주마등처럼 머릿속에 그렸다. 그리고 떠올렸다. ―루돌프가 몇 번째인지 모를 전쟁에 참전하고 돌아왔을 때 일을.

그리고 몸에 어마어마한 피를 뒤집어썼던 그의 모습을 떠올렸다. 절망으로 얼굴이 사색이 된 그가 쥬돔에게 처음으로 회한의 눈물을 보였다.

'역시 너는 **그 녀석**을 아직…….'

쥬돔과 루돌프에게는 한 명 더 친구가 있었다. 어릴 적부터 함께 놀았던 사이고, 세 명 중에서 가장 똑똑하고 강했던― 여성.

그녀의 이름은 앨리스. 정의감이 투철하고 사교적이며 명랑한, 해바라기 같은 웃음이 인상적인 여성이었다. 그건 어른이 되어서도 변함이 없었고 그녀는 그 정의감을 살려 국군에 들어갔다.

루돌프가 왕이 되고 그녀는 사상 첫 여성 대장으로서 국군의 최정상에 섰다. 그건 인맥도 편애도 아닌 순수한 실력으로 일구어낸 성과였다.

웬만한 모험가가 모여도 단 한 방에 날려 버릴 힘을 갖췄던 그녀는 루돌프를, 나라를, 국민을 지키기 위해서 그 힘을 유감없이 발휘했다.

하지만 그 때, 루돌프가 피투성이로 돌아왔을 때, 곁에 있어야 할 그녀는 보이지 않았다. —그녀는 전쟁에서 목숨을 잃고 말았다.

루돌프의 말에 의하면 그녀는 인질로 잡힌 아이를 구하려고 홀로 적에게 찾아갔고, 아이를 가까스로 살리는 대신 본인이 납치되고 말았다. 루돌프가 그녀를 찾았을 때는…… 이루 말할 수 없을 만큼 끔찍한 모습이었다고 한다.

'생각해 보니 그때부터였지……. 네가 적에게 이상할 만큼 증오를 가진 건.'

이유는 알고 있었다. 루돌프는 앨리스를 사랑했다. 신분은 달라도 그의 마음속 가장 깊은 곳에는 언제나 그녀가 있었다. 이미 루돌프의 약혼자는 정해진 상태였지만, 그래도 루돌프는 그녀가 행복하게 살 수 있기를 바라며 왕으로서 책무를 다하고 있었다.

하지만 그녀를 잃은 뒤부터 루돌프는 마음을 바꿔 먹었다…… 아니, 망가졌다고 말해도 과언이 아니리라.

표면상으로는 보이지 않아도 마음은 싸늘하게 식어 있었

을 것이다. 아내가 생기고 아이가 생기고 나라가 커져도, 그는 한 번도 행복을 느끼지 못한 게 아닐까.

'루돌프…… 그래도 너는, 이 나라의 왕이었어.'

앨리스가 지금 그를— 왕을 이용한 자들에 의해 괴물로 변한 루돌프를 보면 어떻게 생각할까. 안 봐도 뻔하다. 멍청한 놈이라고 고함치며 주먹을 한 대 날렸을 것이다.

루돌프가 잘못을 저지르거나 나약하게 울고 있으면 언제나 그녀가 그렇게 혼냈고, 마지막에는 씩 웃으며 「같이 생각해줄게!」라고 말했다.

하지만 그 역할을 맡던 그녀는 이제 없었다.

그렇다면 누가 친구를 막겠는가. ……답은 뻔하다.

'내가 패서라도 끌고 돌아오겠어! 그게 친구로서 내가 할 수 있는 일이다!'

구름 뒤로 숨으려는 달을 바라보면서 슬슬 쉬려고 생각했을 때, 찌릿하게 등으로 전기가 통하는 느낌을 받았다.

……뭔가…… 있다?

눈을 날카롭게 뜨고 빤히 앞을 보며 입만 움직였다.

"……누구냐?"

밤이 깊어 모두가 잠들고 정적이 깔린 가운데, 쥬돔은 등 뒤로 누군가의 기척을 느끼고 말했다.

거기에 대답하듯 쿡쿡 웃는 소리가 들렸다. 정체를 확인하려고 일어나서 돌아봤다. 그리고 눈에 들어온 인물을 보고 경악했다.

“뭐야…… 어린애?”

금발의 소년이었다. 이런 깊은 밤중에 왜 이런 아이가…….

쥬돔은 의아해하며 유유히 그 자리에 선 소년을 관찰했다.

“기척을 지운다고 지웠는데, 역시 『충격왕』이야.”

즐겁게 웃는 표정은 천진난만한 아이나 다를 게 없었다. 하지만 왠지 모를 이질감을 느꼈다. 초점이 어긋났다고 해야 할까? 그릇과 내용물이 다른 듯한 괴리감이 느껴졌다.

“……한 번 더 묻겠다. 너는 누구냐?”

단순한 아이일 리 엇었다. 이런 심야에, 그것도 지금은 왕의 대리를 맡은 쥬돔에게 어린아이가 찾아올 리 없었다. 그보다도 소년에게서 불길한 분위기를 감지한 마음이 최대한 경계하라고 경종을 울렸다.

“음~ 그러고 보니 너와는 실제로 만난 적이 없었지? ……이 모습으로는.”

그 순간— 소년의 눈이 가늘어짐과 동시에 전신을 찌르는 살기가 터져 나왔다. 또 마음을 위축시키는 마력의 압력이 몰아닥쳤다.

“—?! 이, 이 마력…… 서, 설마 너는……?!”

스스로도 믿어지지 않는 생각이었지만, 소년이 내는 살기와 마력이 익숙한 것도 사실이었다. 그것은 과거 마음에 뿌리내린 공포의 씨앗.

"………………마, 마왕……이냐?"

"아하하, 맞아. 이제 알았어?"

무의식중에 쥬돔은 주먹을 쥐고 떨었다. 목이 바싹 타고 서 있는 것만으로 몸이 지쳐갔다. 이 위압감을 착각할 리 없었다.

'하지만 정말로 선대 마왕인가? 놈은 죽었을 텐데. 그렇지만 이 감각은……'

왜 어린 모습인지 모르지만, 그가 발하는 기운은 한때 자신이 느낀 선대 마왕과 일치했다. 그렇다면 진짜라고 치더라도, 혼자 이런 곳에 온 이유는 무엇인가…….

'암살……? 혹시 누가 더 있나?'

인간국을 하나로 묶으려는 자신을 죽이러 왔다고 의심해 다른 동료가 없는지 기척을 살폈다. 그리고 선대 마왕 아보로스의 뒤쪽— 방 안에 누가 있다는 사실을 확인했다.

그 기척이 점점 불어났다. 무슨 일인가 싶어 그의 뒤쪽에 정신을 집중했다.

"소개할게. 이게 짐의 부하들이야."

방 안에서 모습을 드러낸 자들은 하나 같이 검은 옷을 둘렀고 저마다 범상치 않은 분위기를 풍겼다. 쥬돔은 자기도 모르는 사이 온몸이 식은땀으로 흠뻑 젖었다는 사실을 깨달았다.

"……정보가 사실이었나."

“응? 정보?”

“『마인족』과 『수인족』이 결투를 벌였다는 소식은 들었다. 그리고 『마인족』이 승리해 동맹을 맺었다는 것도. 그 현장에 네가 나타나서 그들에게 선전포고를 했다는 것도.”

신빙성 없는 소문이라서 사실 후자는 반쯤 흘려 넘겼다.

“귀가 밝은걸? 아니지, 그 정도는 해야 왕이라고 할 수 있나. 음, 감탄했어.”

짝짝 박수를 치지만, 바보 취급당하는 기분밖에 들지 않았다.

“……뭐 하러 왔지?”

“오늘은 정말로 멋진 날이 될 거 같아.”

갑자기 아보로스 가까이 있는 인물이 쥬돔에게 무언가를 던졌다. 데굴데굴 굴러온 그것의 정체를 안 순간, 쥬돔은 얼어붙었다.

그건 이 나라 귀족 중 한 명— 잔스 경의 머리였다. 차별주의자며 강경파. 쥬돔과는 의견이 맞지 않는 인물이었다.

“있어 봐, 아직 더 있어.”

차례차례 굴러오는 낯익은 얼굴의 머리들. 모두 권력자였다.

“이 자식……?!”

“아하하! 그렇게 화내지 마. 이 나라의 고름을 짜냈을 뿐이니까. 너도 귀찮았지? 그리고 몰랐다고는 하지 마. 그 쓰레기들이 쿠데타를 꾀하고 있었다는 걸.”

"……."

"얼굴을 보니 역시 알고 있었구나. 뭐, 가만히 두다가 혼란을 틈타서 움직이는 것도 재미있었겠지만, 어차피 죽일 거면 빨리 처리하고 싶었어."

"……무슨 소리지?"

혼란에 틈타? 그 말은 흘려들을 수 없었다.

그러자 아보로스의 입꼬리가 초승달 모양으로 일그러졌다.

"쥬돔 란카스. ―『마타르 데우스』의 주인이 여기서 선언하지."

대체 무슨 의도인지, 아보로스가 생각지도 못한 말을 꺼냈다.

"이 나라를――― 접수하마."

※

갑자기 커다란 소리에 눈을 뜬 【빅토리어스】의 제1 왕녀 리리스는 캐노피가 달린 침대에서 일어나 경계하며 문 쪽으로 갔다.

"비, 비명도 들리는데 대체……."

조용히 문을 열고 방 안에서 밖을 살피려던 리리스는 누가 황급히 달려오는 소리를 들었다. 그건 리리스의 시중을 드는 시녀 중 한 명으로, 그녀의 당황한 모습을 보고 뭔가 일이 터졌음을 직감했다.

"무, 무슨 일이 있나요?"

"고, 공주님! 깨어 계셨군요! 실은—."

시녀에게 들은 이야기는 경악스러웠다. 지금 성 안에 수상한 인물이 침입해 쥬돔과 경비병들이 응전하는 중이며, 시녀는 리리스를 안전한 곳으로 대피시키라고 쥬돔에게 지시를 받았다고 했다.

"어, 어마마마는 무사하신가요!"

퍼뜩 어머니 마리스에 관해 묻지만, 그녀는 용사의 교육자인 웰 킴블 대장이 보호하러 갔다고 듣고 안심했다.

하지만 안심한 것도 한순간뿐. 이곳으로 다가오는 발소리가 들렸다. 리리스와 시녀는 겁먹으면서도 어둠 속을 살펴봤다.

창으로 비친 달빛으로 그자가 으스스한 검은 옷을 입었다는 것을 알았다. 아무래도 두 명 같았다. 그리고 앞쪽에 있는 인물은 한 인간을 아무렇게나 옆구리에 끼고 있었다. 리리스는 그 사람을 보고 놀라서 소리쳤다.

"어, 어마마마?!"

그건 틀림없이 마리스였다. 기절했는지 그녀는 힘없이 늘어져 있었다. 그리고 마리스를 든 인물의 오른손에 피가 뚝뚝 떨어지는 검이 있는 것을 보고 가슴이 덜컥 내려앉았다.

설마 어머니가 이미 죽은 게 아닌가 하고 충격을 받았다.

"안심해도 돼. 왕비님은 무사하니까."

리리스의 불안을 느꼈는지 말한 사람은 빈손인 채 다가오는 검은 옷이었다.

"아…… 지, 지금 그 목소리…… 아뇨, 그럴 리가……!"

검은 옷에게서 들린 목소리는 리리스가 기다리던 이의 목소리와 똑같았고 다정함이 묻어났다. 하지만 동시에 왜 그가 거기 있는지 곤혹스러워, 사실은 다른 사람일 거라고 믿고 싶었다.

"이 녀석이군? 왕녀라는 게."

마리스를 든 인물이 그녀를 난폭하게 바닥에 떨어뜨렸다. 그와 거의 동시에 리리스의 볼에 바람이 스쳤고— 푸슛.

따뜻한 뭔가가 리리스의 볼에 묻었다. 무슨 일이 일어났는지 몰라서 옆을 보는데, 그곳에는 몸이 칼에 베인 시녀가 있었다.

"공……주니…… 도망…… 으흑!"

"뭔 말이 많아, 빨리 죽을 것이지."

숨통을 끊으려고 이번에는 가슴을 찔렀다.

"아, 아, 꺄아아아아아아!"

그 냉혹하기 짝이 없는 행위에 리리스는 그 자리에 털썩 주저앉고 말았다.

"이, 이봐, 무슨 짓이야! 죽이지 말아 달라고 몇 번이나 말했잖아! 왜 너는 그렇게 쉽게 사람을 죽여!"

리리스가 잘 아는 목소리가 시녀를 죽인 자에게 소리쳤다.

“어엉? 야, 아직 네 입장이 이해 안 되냐?”

“으…… 하지만…….”

“시끄러워. 필요 없는 걸 죽였을 뿐이야. 그럼…….”

“힉!”

리리스는 붉게 물든 검을 보고 욕지기가 올라와 급하게 입을 틀어막고 구역질했다.

“쳇, 귀찮게 하네. 야, 너. 빨리 그 녀석 데리고 와.”

검을 든 인물은 그 말만 하고 마리스를 다시 들어 어딘가로 사라졌다.

지금 리리스는 대체 무슨 일이 벌어지는지 판단할 냉정함을 잃었다. 악몽 같은 참상을 목격하고 도저히 마리스까지 걱정할 여유가 없어서 무력하게 떨고 있을 뿐이었다.

“…………리리스.”

이름을 불러 반사적으로 눈물 흘리면서도 그 인물을 확인했다. 그 인물이 조용히 얼굴을 가린 후드를 벗었다. 리리스는 그의 얼굴을 보고 경악하면서도 매달리듯 그의 이름을 입에 담았다.

“—?! 타……타이시…… 님…….”

“미안, 리리스……. 정말로 미안해.”

만나고 싶었던 사람. 지탱해 주길 바라던 사람이 나타나서 기쁜 반면, 비통함과 후회가 뒤섞인 타이시의 표정을 보고 리리스도 당혹감을 감추지 못했다.

"대, 대체…… 뭐가 어떻게…… 된…… 건가요?"

리리스가 눈물을 흘리면서 묻는 말에 타이시는 괴로운 표정을 지을 뿐이었다.

"왜, 왜…… 타이시 님이…… 게다가 그 옷은……."

리리스도 타이시의 표정과 옷을 보고 깨닫지 못할 만큼 바보는 아니었다. 타이시가 시녀를 죽인 자의 동료라는 것은 이해했다. 도무지 믿을 수 없지만…….

"아니…… 아니야…… 나도 이런 짓은…… 하지만……."

까득, 이를 가는 타이시를 보고 리리스는 어떤 이유가 있든 지금 성을 습격한 것이 타이시와 그 동료라고 확신했다.

"타이시…… 님……."

"리리스…… 나를 따라와줘."

"네?"

"……내…… 주, 주인이 너를 바라고 있어."

"주……인? 무, 무슨 말씀……인가요?"

타이시의 주인은 지금도 리리스의 아버지인 루돌프 국왕일 터였다. 그래서 루돌프가 돌아왔나 잠깐 생각했으나, 타이시의 태도를 보고 그런 느낌이 아니라고 짐작했다.

"미안……. 그래도 이렇게 할 수밖에 없어……."

타이시는 옷에서 작은 병을 꺼내서 뚜껑을 땄다. 안에서 달콤한 향이 흘러나와 리리스의 코를 간지럽혔다.

"저, 저기, 타이……시…… 님……."

리리스는 갑작스러운 졸음에 저항하지 못하고 조용히 정신을 잃었다. 타이시는 쓰러진 리리스를 절망에 사로잡힌 얼굴로 내려다봤다.

"거역할 수 없어, 거역할 수 없다고……. 나도 이런 짓을 하고 싶은 건……! …………가야 해."

타이시는 리리스를 조심스럽게 안아 들고 천천히 걸어갔다.

도중에 창에 비친 자신의 얼굴을 보고 쓴웃음 지었다.

"……못 봐주겠군…… 하하."

자조의 말을 내뱉으면서도 납덩어리 같은 다리를 움직였다.

※

"—뭐라고! 【빅토리어스】가 습격을 받고 함락돼?!"

【빅토리어스】가 아보로스의 손아귀에 떨어졌다는 흉보는 눈 깜짝할 사이에 인간계, 수인계를 넘어 마계까지 알려졌다.

그리고 당연히 【수왕국 파시온】에도 소식은 전해졌고, 보고를 받은 수왕 레오우드는 놀라서 입을 열었다.

"쥬돔 란카스는? 그 녀석이 대신 왕 노릇을 하고 있지 않았나. 녀석은 어떻게 됐지!"

레오우드는 험악한 얼굴로 《알현실》까지 보고하러 온 병사에게 물었다. 그 자리에 있던 히이로도 이 이야기에 귀를 기울였다.

듣자 하니 쥬돔은 아보로스에게 붙잡혔는지 도망쳤는지 아직 밝혀지지 않았다. 단, 확실한 점은 현재 【인간국】은 《마타르 데우스》의 지배하에 놓였다는 것이었다.

인간계 정보를 별로 알지 못했던 히이로는 루돌프 국왕이 미쳤다는 것, 그 대역으로 쥬돔이 나라를 통치하던 것을 이때 처음 알았다.

특히 루돌프가 미쳤다는 소식에는 할 말을 잃었다. 정보에 따르면 아보로스에게 조종받는 몬스터가 됐다나…….

'거참, 그 암군도 인생 한번 얄궂군.'

자신이 미워하던 『마인족』을 이용한다고 생각했겠지만, 결과적으로 이용당한 건 그였다. 결국 『마인족』에게 배신당하고 말도 마음대로 못 하는 몬스터로 전락했다니, 애처롭기 그지없는 인생이었다.

그의 진짜 목적이 무엇이었는지는 모른다. 정말로 세상의 평화를 꿈꿨는지, 아니면 용사 소환에 딸을 희생하여 더 물러날 곳이 없었는지는 알 길이 없다.

다만, 그는 그렇게까지 해서 달려온 길을 다른 누군가에게 이용당하고, 끝내는 죽느니만 못한 말로를 맞이했다.

'인간을 통치하던 왕이 말하지 못하는 몬스터로 변했나……. 인생, 나락으로 떨어지는 것도 한순간이야.'

멀쩡하게 죽지는 못하리라고 생각했지만, 설마 이렇게 될 줄은 생각지도 못했다.

'그나저나 그 선대 마왕 자식, 본격적으로 활동을 개시했군.'

가까운 시일 내에 무슨 일이 날 줄은 알았어도 【인간국】을 점령했다는 사실은 의외였다.

'……응? 몬스터화……? 설마…….'

옆에 있는 카뮤의 얼굴을 힐끗 봤다. 그는 히이로의 시선을 알아차리고 눈을 맞추며 끄덕 고갯짓했다. 그것은 히이로의 생각에 동의한다는 의미였다.

'전에 이 녀석 아버지가 검은 옷을 입은 인물—《십자 흉터 사내》에 의해서 《사막의 괴물》로 변했지. 게다가 이 녀석은 검은 옷 집단 중에 원수가 있다고도 말했어.'

그것은 수인들과 결투를 하면서 알게 됐다. 상대는 볼에 십자 상처가 있는 히요미라는 거한이었다.

'바보 제자의 가족을 앗아간 《광기의 수인》도 《십자 흉터 사내》일 가능성이 커. 아니, 수법으로 보면 아마 동일 인물이겠지.'

즉, 바보 제자 닛키의 원수도 카뮤의 원수와 같은 인물이다.

'선대 마왕의 지시로 옛날부터 각지를 방랑하며 이번 사건을 일으키기 위해 암약했는지도 모르지.'

서서히 《마타르 데우스》가 어떤 행동을 벌였는지 보이기 시작했다. 아직 전모는 보이지 않지만, 세계에 고통을 흩뿌리는 악의에 찬 집단이라는 것은 알 수 있었다.

"히이로, 놈들의 목적은 무엇이라고 생각하나?"

문득 레오우드가 의견을 물었다.

"세계 정복이겠지. 놈도 그렇게 말했어."

"아니, 그건 알지만……. 왜 나라를 점령했는지 모르겠다. 그것도 인간국을."

세 나라 중 왜 【인간국】을 선택했는지는 확실치 않았다. 다만 상상은 가능했다. 국왕을 잃고 혼란한 정세를 노릴 수 있으니까. 혹은 【인간국】을 빼앗을 필요성이 있으니까.

단, 확실한 점은 놈들은 힘으로 모든 것을 지배하려고 한다는 것이었다.

"아무튼 지금은 정보 수집에 집중하는 편이 좋겠군. 놈들의 최종 목적이 세계 정복이라도 그 과정에서 틀림없이 이쪽에도 피해가 생겨."

"음, 히이로의 말이 옳다. 마왕과도 긴밀히 연락하며 대책을 세워야겠다."

그렇다. 놈들이 과격하게 움직이기 시작했다면…….

'언젠가 이 나라와 【하아스】에도 마수를 뻗치겠지. 빠르게 대책을 세워야 해.'

이 불안이 곧 현실이 되리란 것을 아직 히이로는 알지 못했다—.

※

심각한 표정으로 성내를 걸으며 목적지로 가는 자는 【마국 하아스】가 자랑하는 《마왕 직속 호위대(클루엘)》의 최상위에 군림하는 아쿠위나스였다.

걸을 때마다 긴 진홍색 머리카락이 좌우로 흔들리고 빠른 발소리가 바닥을 규칙적으로 때렸다.

그 발길이 향하는 곳은 반드시 수호해야 할 인물, 마왕 이베엄이 일하는 집무실이었다.

목적지에 도착해 노크하고 입실 허가를 받은 뒤 문을 열었다.

"호오, 낯빛이 꽤 나아졌군. 그때부터 충분히 수면을 취한다는 증거야."

아쿠위나스는 미소를 지으면서 이베엄의 혈색이 전보다 좋아졌다며 기뻐했다.

그녀도 살짝 부끄럽게 얼굴을 숙이며 말했다.

"그, 그러니까 전에는 내가 잘못했다고 하잖아! 그, 그리고 그 후로는 주의한 대로 수면 시간은 항상 확보하고 있어!"

"잘하고 있다."

이베엄은 뜨거워진 볼을 식히려고 고개를 젓고는 아쿠위나스의 방문 이유를 물었다.

어제 【하아스】에 【빅토리어스】 함락 소식이 전해졌다.

그 아보로스가 설마 나라 하나를 점령할 줄은 몰랐지만, 믿을 수 있는 부하들에게도 확인했으므로 의심의 여지는 없었다.

아쿠위나스는 그 후로 새로운 정보가 들어오지 않았는지 이베엄에게 물으러 왔다.

"아니, 새로운 정보는 없군."

"그런가……."

"뭔가 신경 쓰이는 일이라도 있나? ……설마 쥬돔 공 때문인가?"

"……."

"그 사람은 국왕이 없는 나라를 거의 혼자서 통치하고 있다던데, 그가 아보로스 습격 후 어떻게 됐는지는…… 알 수 없다."

"그래, 그렇다더군."

"걱정이야……. 아무리 그 사람이라도 선왕을 상대로는……."

이베엄이 걱정스럽게 말을 흐렸다. 아보로스의 힘은 강대했다. 정말로 무시무시할 만큼. 하지만 이베엄을 안심시키려고 아쿠위나스는 말했다.

"아니, 다른 사람도 아니고 그 남자가 죽었다고는 생각하지 않는다."

"아쿠위나스……."

"그 남자의 힘은 실제로 싸워 본 내가 잘 안다. 어떤 강자나 대부대와 맞서더라도 생환할 실력과 지혜를 갖춘 자다."

"……그런가. 네가 그렇게 말한다면 그런 거겠지."

이베엄이 안도한 것처럼 웃어 보였다. 실제로 그녀는 쥬돔의 진짜 실력을 알지 못할 것이다. 어릴 적에 한 번 만난 게 전부니까.

하지만 아쿠위나스는 쥬돔과 사투를 벌인 경험이 있었다. 목숨을 걸고 싸운 인연은 마치 전우와 같은 관계로 발전했다.

그런 쥬돔의 힘을 믿는 아쿠위나스가 말한다면 이베엄도 그의 생존을 믿어 보기로 생각했다.

그렇게 이야기는 일단락되었지만, 문득 아쿠위나스는 어떤 인물을 떠올렸다.

"그러고 보니 폐하, 그 후로 히이로는 어떻게 했지?"

"응?"

"응? 이 아니라. 억지로 재워서 자신이 얼마나 몸을 혹사시켰는지 깨닫게 해준 히이로 말이다."

"으, 음…… 왠지 말에 가시가 있군."

"흣, 착각이다."

실제로 아쿠위나스는 조금 모질게 대하고 있을지도 모른다. 자신은 어쩌지 못한 그녀의 생각을 너무나 쉽게 바꿔 놓은 히이로에게 질투하고, 히이로의 말은 솔직하게 듣는 이베엄에게 살짝 심술을 부리고 싶었는지도 모르겠다.

"히이로라. 그로부터 며칠이 지났지만, 연락 한 번 없어.

으으, 정말 그 바보, 왜 사람을 걱정시켜!"

말투가 변했지만, 이렇게 솔직하게 푸념을 말하는 그녀를 보면 흐뭇하다는 생각도 들었다. 아쿠위나스는 미소를 지으며 입을 열었다.

"무소식이 희소식이라고 하지. 게다가 그 녀석이 어디서 객사하는 모습이 상상이나 되나?"

"…………안 돼."

"그 녀석이라면 분명히 저쪽에서 맛있는 음식이나 희귀한 책이라도 찾아서 즐기고 있겠지."

"…………하아, 그 말이 맞아."

그 모습이 저절로 머리에 그려져서 이베엄은 아마 맞장구치며 어이없어했다.

"게다가 지금은 히이로보다 선왕이 문제지."

이베엄의 말에 다시 분위기가 무거워졌다.

"세계 정복. 녀석의 언행을 돌이켜보면, 우선 인간부터 함락하겠다는 뜻인가……?"

"【수왕국】도 습격을 받았다지만, 함락되지는 않았지. 지금 혼란이 예상되는 【빅토리어스】라면 쉽게 손에 넣을 수 있다고 생각했는지도 몰라."

"실제로 녀석은 싱거울 정도로 쉽게 나라를 손에 넣었어. 그리고 앞으로는 인간계를 수중에 넣겠지."

아쿠위나스의 말에 이베엄은 입을 다물었다. 아보로스의

성격상 틀림없이 공포 정치가 시작될 것이다. 반발하는 자가 있으면 몰살해도 이상하지 않았다.

그리고 언젠가 그 공포에 인간의 마음이 지배되어 가리라.

"……아쿠위나스, 다음은 어떻게 나올 거라고 생각하지?"

"지금 전력이 특출하게 강한 이곳은 나중으로 미룰 가능성이 높겠지."

"……그럼 다음으로 노릴 곳은 【수왕국】?"

"어쩌면 이미 저쪽에서 뭔가 행동을 벌이고 있을지도 몰라."

"이미 한 번 습격한 【수왕국】을 더 몰아붙이는 건 효과적인 전술이지. ……걱정이군."

"수왕도 무능하지는 않다. 뭔가 대책은 세웠겠지."

"그래도 불안해. 이미 그들은 동맹국이고 동료야. 증원을 보낼까? 아니, 우리도 경비를 엄중히 할 필요가 있고 인간들의 동향도 신경 써야 해……."

한 번 손을 잡으면 진심으로 믿는 것이 이베엄의 장점이지만, 동시에 단점이 된다는 것도 알고 있었다.

'아니, 이 아이는 이대로 있으면 돼. 문제가 있는 부분은 우리가 지켜보며 보필하면 된다.'

이 상냥한 마음이야말로 사람들을 잇는 다리가 되리라고 믿으니까.

"……아, 잠깐만! 그러고 보니 【수왕국】에는 히이로가 있지 않나!"

"그래. 따지고 보면 최강의 증원군이다. 그러니까 오히려 흉계를 꾸민다면 그쪽이 불쌍해. 히이로의 분노를 사면 틀림없이 그 야망도 좌절되겠지."

"……후우. 아무튼 간에 무사히 돌아와줘, 히이로."

온갖 감정이 가슴속을 스치나 보지만, 이베엄의 본심은 역시 히이로가 무사히 돌아오기를 바라는 모양이었다.

아쿠위나스도 그녀의 그런 심정을 깨닫고 미소를 짓고는 먼 땅에 있을 히이로를 생각했다.

'……아무 일도 없는 게 제일이겠지만……'

※

—갑작스러운 강습 보고였다.

히이로가 레오우드와 《알현실》에서 향후 《마타르 데우스》의 움직임에 관해 생각을 주고받던 때.

갑자기 병사가 뛰어 들어와서 레오우드에게 보고했다.

—미확인 생물이 습격해 왔다—.

귀를 기울이자 밖에서 비명과 고함이 울려 퍼지고 있었다.

빅토리어스 함락 보고를 받고 얼마 지나지 않은 시기이기도 해서 당연히 적의 습격으로 단정 지었다. 히이로도 틀림없이 《마타르 데우스》의 소행이라고 추측했다.

히이로는 병사에게 자세한 이야기를 듣기 전에 자리를 떠나 나라를 내다볼 수 있는 《왕수》의 전망대로 이동했다.

그리고 《왕수》 전망대에 도착해 거리를 내려다보자…….

"저게 뭐야……!"

아래에서는 인간 크기의 기묘한 물체들이 거리를 배회하고 있었다. 그것은 마치 공포 영화의 좀비처럼 느리게 움직였다.

'대체 뭐지……?'

멀리서는 그것이 무엇인지 판별되지 않았다. 다만 겉으로 봐서는 액체, 정확히는 슬라임 같은 젤리로 추정됐다.

잠시 그렇게 관찰하던 중, 한 국민이 그것에게 붙잡혔다. 겉모습만큼이나 그 붙잡는 방식도 소름 끼쳤는데, 촉수 같은 것이 튀어나와 국민의 몸을 휘감은 것이었다. 그리고 붙잡은 사람을 자기 몸속으로 흡수했다.

"저건 아마 물로 만든 인형 같구만."

어느샌가 옆에 있던 텐이 그것들의 정체를 알려줬다.

"인형이라고?"

"그래. 아마 저것들의 주인이 어디선가 조종하고 있을 거야."

텐은 이것이 물 마법의 일종이며 지금 나라를 덮친 기묘한 물체들은 그 사용자가 만들어 낸 물 인형이라고 했다.

"그래도 수가 이렇게 많으면 그다지 복잡한 명령은 내리지 못할 텐데."

"하지만 국민을 덮치고 있잖아? 피아도 식별한다는 뜻 아니야?"

"그렇긴 하지. 아마 저게 받은 명령은 근처에 있는 생물을 덮쳐라, 아닐까?"

"……그렇군. 듣고 보니 건물에는 전혀 손을 대지 않아."

텐의 말이 높은 확률로 정답일 듯했다.

"히이로…… 어떻게 해?"

"너도 왔냐, 흰 머플러?"

텐과 마찬가지로 신출귀몰한 카뮤가 히이로와 같은 풍경을 보고 있었다. 아래에서는 뮤아와 아놀드가 국민을 구조하려고 물 인형들과 싸우는 중이었다. 자세히 보니 여기저기서 익숙한 면면이 싸우고 있었다.

어떻게든 수세를 유지하며 침공을 막고 있지만, 단순한 물리 공격이 통하지 않는지 검과 창으로 몸을 베어도 재생해 버렸다.

"싸우고 싶으면 가도 돼. 말릴 생각은 없어."

"히이로는…… 어쩌고?"

"딱히 내가 가세하지 않아도 저 녀석들이라면 곧 진압하겠지."

분명히 적의 수는 많지만, 보아하니 대단한 능력은 없는 듯했다. 다만, 붙잡은 국민을 자기 몸에 가둬 질식시키려고 하나, 움직임은 느리고 다른 사람이 《가장술》로 구출하기도 쉬워 보였다.

물 인형 안에서 사람을 억지로 빼내는 광경을 보아 숨은 능력도 없는 듯하니까 수인들이라면 스스로 해결할 수 있다고 판단했다.

"에이, 뭐야? 히이로, 안 싸워? 아~ 신생 《잔게키》의 힘을 시험할 절호의 기회인데~."

그러고 보니 텐과 일체화한 《절도 잔게키》를 아직 시험해 보지 않았다. 텐에게 능력은 들었지만, 지금까지 써 볼 기회가 없었다.

"흠…… 듣고 보니 좋은 시험대일지도 모르겠군."

"오! 그럼 해 볼래?"

텐이 기대에 차서 눈을 빛냈다.

"……그러지. 좋은 실험이 되겠어."

"우키키!"

기뻐서 폴짝거린 텐이 전망대에서 뻗은 가지 끝으로 가서 큰 소리로 울기 시작했다.

마치 아래에 있는 모든 이의 주목을 사려는 것 같았다. 실제로 먼 곳까지 울리는 울음소리는 아래에서 싸우는 이들의 시선을 불러 모았다.

"저 멍청한 원숭이가 대체 뭘 하려고……?"

물 인형도 멈춰서 텐을 보고 있었다. 그래서 놈들의 움직임을 제한하는 목적도 있었다고 깨달았다.

"야, 히이로. 이리 와 봐!"

텐이 손짓으로 부르지만, 정말로 가고 싶지 않았다. 왜냐면 엄청나게 주목을 받았기 때문이다. 하지만 싸우기로 결심한 이상 가만히 있을 수도 없어서 어쩔 수 없이 내키지 않는 발걸음을 옮겼다.

"흰 머플러는 여기서 기다려."

"응…… 알았어."

카뮤에게 그렇게 말하고 앞을 보며 텐에게 접근했다.

"히이로, 알려준 대로 해야 해."

"알겠으니까 너도 집중해."

"알았어, 알았어."

히이로는 허리에 휴대하는 《절도 잔게키》를 조용히 칼집에서 뽑아 칼을 앞으로 찌르듯 팔을 뻗었다.

그 칼끝에 텐이 폴짝 올라탔다. 그러자 갑자기 텐의 몸이 빛을 뿜기 시작했다. 아래에서 보는 자는 칼이 빛난다고 생각할지도 모르겠다.

텐이 얼굴과 눈을 열심히 움직여 도시를 곰곰이 살펴봤다.

그리고 다 둘러봤는지 고개를 살짝 끄덕이며 히죽 웃었다.

"오케이~. 적의를 확인했어~!"

"알았어. ……《절도 잔게키》."

텐이 칼을 발판 삼아서 하늘로 높이 뛰어올랐다. 텐을 중심으로 빛이 더욱 커지고 마치 하늘에 뜬 작은 태양처럼 구형으로 팽창했다.

히이로는 칼을 투창처럼 들고 자세를 유지했다. 안광을 날카롭게 빛내며 상공에 있는 빛의 구슬을 노려봤다. 그것은 마치 지금부터 공격할 목표를 꿰뚫으려는 듯한 눈.

—휙!

히이로가 빛 구슬을 향해서 《잔게키》를 투척했고, 레이저처럼 똑바로 날아간 칼은 빛 구슬에 꽂혔다.

그 순간— 펴어어어어엉!

구체는 순식간에 커다랗게 부풀어 올라 칼을 삼키더니 큰 폭발음과 함께 터지며 무수한 빛을 흩뿌렸다.

"휩쓸어라—— 《섬광 불꽃》!"

터진 빛이 수많은 총알이 되어 도시로 쏟아졌다. 그것은 마치 하늘에서 내리는 유성 같았다.

그 광경을 본 이들이 필사적으로 도망치려고 했지만, 유성은 어마어마한 속도로 낙하해 무자비하게 아래를 휩쓸었다. —물 인형만을 노리고.

빛에 꿰뚫린 물 인형들은 순식간에 연기처럼 변해 사라졌다. 몸속에 잡혀 있던 자들도 유성에 꿰뚫리기는 했지만, 아무 상처도 없는 몸을 보며 제자리에 우두커니 서 있었다.

셀 수 없이 많던 물 인형은 허무하게 그 빛 앞에서 모습을 감추고 말았다.

다들 이 현실에 어안이 벙벙하여 움직이지 못했다. 히이로는 그 광경을 보고 만족감을 느끼며 고개를 끄덕였다.

그때, 빛이 되어 터졌던 텐이 하늘에서 빙글빙글 돌며 떨어졌다. 그 손에는 함께 흩어진 것으로 보였던 《잔게키》를 들고 있었다.

멋지게 착지한 텐이 브이 사인을 보내며 씩 웃었다.

"헤헹~! 이 몸 최강설이 이곳에서 시작되겠군~!"

"웃기지 마. 내 힘이 있으니까 가능한 거야."

"오오…… 둘 다 대단해."

카뮤가 짝짝 박수를 치는 모습을 보고 히이로는 어깨를 으쓱했다.

"말 그대로 눈부신 데뷔긴 했어."

계약에 따라서 《정령도》가 된 《절도 잔게키》. 히이로의 새로운 무기였다.

'그래도 쓸데없이 눈에 띄고 말았군.'

아래 있는 지인들이 설명하라는 눈으로 히이로를 응시하고 있었다. 뭐라고 설명해야 좋을지 생각하니 벌써 골치가 아팠다.

'뭐, 어떻게든 되겠지. 그럼 이제—.'

히이로는 고개를 들어 먼 곳을 뚫어지게 바라봤다.

마치 그곳에 뭔가가 있는 것처럼—.

※

【수왕국 파시온】에서 상당히 멀리 떨어진 언덕에 한 인물이 땅바닥에 앉아 있었다. 그 인물은 검은 옷을 입었고, 앉아 있는 땅에는 마법진이 그려져 있었다.

마법진에는 딱 한가운데 앉은 자를 둘러싸듯 나이프가 원을 그리며 꽂혀 있어서 척 보기에도 어떤 의식을 행하는 중임을 알 수 있었다. 그런데 대뜸 나이프들이 차례차례 소리를 내며 전부 산산이 부서지고 말았다.

부서진 나이프의 잔해를 보고 검은 옷은 조용히 일어나서 후드를 쓴 채 멀리 있는【파시온】을 바라봤다.

—그런데.

그가 갑자기 뒤로 휙 뛰었다. 그러자 조금 전까지 서 있던 곳에 날카로운 가시 형태의 물체들이 쏟아져 대지에 꽂혔다.

"……모래?"

그 가시는 모래로 되어 있었다. 곧바로 시선을 하늘 위로 옮기자 어느새 나타났는지 한 인물이 떨어지고 있었다.

"응…… 빗나갔어. ……실패."

떨어진 자의 이름은— 카뮤. 히이로의 『전송(傳送)』 문자로 검은 옷의 머리 위로 날아온 것이었다.

"너, 마인이야?"

양 같은 뿔이 머리에 있어서 보통은 《수인족》이라고 생각하겠지만, 마법을 쓰는 데다가 갈색 피부이기도 해서 『마인족』으로 추측한 모양이었다.

“너…… 나쁜 녀석. 잡으라고…… 말했어.”

“으잉? 이거 큰일이구만. 적에게 들켰나.”

말은 그렇게 해도 조금도 당황한 기색을 보이지 않았다. 카뮤도 무표정인 채 땅에 살며시 오른손을 댔다. 거기에 호응하듯 단단한 지면이 차츰 모래로 변해 카뮤 주위에 둥둥 떠올랐다.

“와우~ 대단한 기술인데. 굳이 모래로 만들다니.”

“……샌드 불릿!”

카뮤의 말과 동시에 모래가 차례대로 총알처럼 변화해 검은 옷을 향해 발사됐다.

“헛, 차, 흡, 얍.”

재주를 부리듯 피하는 검은 옷에게 카뮤는 오른발로 땅을 탕 두드렸다. 그러자 검은 옷의 아래에서 뻗은 모래 가시가 상대방의 얼굴을 향해 뻗었다.

하지만 상대도 보통내기가 아니라서 허를 찌른 기습마저 순간적으로 얼굴을 틀어 피해 버렸다. 다만 쓰고 있던 후드가 찢어져 얼굴이 드러났다.

“에고고. 제법 하네, 아가씨?”

지저분하게 수염이 났고 새까만 원형 안경을 쓴 중년 남성. 그는 사근사근 웃으며 카뮤에게서 거리를 두고 갈색 더

벅머리를 긁었다.

"……나는 남자."

"에엥? 저, 정말로……? 이런 귀여운 남자애도 다 있구만."

"……이제 가만히 있어."

카뮤의 뒤에서 대규모 모래 파도가 일어나 남자를 위압했다.

"오오, 오오, 지형상 내가 불리한가? 참고삼아 묻겠는데 왜 도련님 혼자 오셨어?"

"……히이로가…… 나만 보냈어."

"히이로? 아, 그 빨간 로브 이름이었지. 그런데 보냈다고? 너 혼자?"

"너라면…… 할 수 있다고…… 했어. 나…… 신뢰받고 있어…… 브이."

카뮤는 살짝 자랑하듯 가슴을 내밀고 브이 사인을 보냈다.

"그리고 히이로는…… 다른 복병이…… 있으면 위험하다면서…… 남았어."

"이열~ 역시 그 꼬마는 내 시선을 눈치챘나? 제법 멀리 있었는데 감도 좋구만."

"히이로도…… 확신은 없었어……. 그래도…… 조사하고 오라고…… 여기 보냈어."

카뮤가 등에 멘 두 흑도 중 한 자루를 왼손으로 뽑아 칼끝을 상대에게 향하며 선언했다.

"그러니까…… 너를 붙잡을 거야."

"……헤헤헤, 그 꼬마의 기사라도 되나 보지? 그만큼 사랑받는다는 뜻인가. 나쁘지 않은 충성심이야. 그래도…… 나도 여기서 잡힐 수는 없거든. 여러 사정이 있어서 말이지."

카뮤가 오른손을 하늘 높이 들자 모래도 두 사람 머리 위로 떠올랐다.

"——샌드 레인!"

오른손을 내리자 모래가 작은 화살촉처럼 변해서 쏟아졌다.

"아이고, 이거 위험한걸. —어스 가드."

남자가 히죽 웃으며 땅에 손을 대고 중얼거렸다. 남자 주위 땅이 솟아올라 그를 덮는 토벽이 되어 샌드 레인을 막아냈다.

"으…… 그럼 샌드 프레스!"

토벽 위에 모인 모래가 거대한 주먹으로 변해서 내려찍어 토벽을 완전히 박살 내고 말았다.

"……해치웠나?"

너무 심했나, 라고 덧붙이지만— 곧 기운을 감지한 카뮤는 뒤를 돌아봤다.

"—기척에도 민감하네. 제법이야…… 도련님."

어느샌가 뒤에 서 있던 남자의 오른손에서 전격이 발사됐다. 카뮤는 곧바로 전방을 모래 벽으로 방어했다.

그런데 발아래에 이상한 느낌을 받고 눈을 돌렸다. 놀랍게도 땅이 얼어붙고 있었다.

"으?! 얼음 속성 마법까지!"

그가 물 인형을 써서 나라를 공격한 것은 이미 밝혀졌다. 물, 땅, 전기, 그리고…… 얼음. 두 속성 이상 가진 자도 드문데 네 속성이나 다루니 카뮤도 놀랄 수밖에 없었다.

카뮤는 동결에 말려들지 않게 뒤로 점프해서 거리를 벌렸다. 하지만 모래 벽 너머에서 이번에는 나선형 바람이 카뮤에게로 불어닥쳤다.

"다, 다섯 개?! 큭, 샌드 웨이브!"

모래 해일이 일어나 회오리를 한순간에 집어삼켰다. 그 파도에 타고 카뮤는 앞에 있는 남자에게로 돌진했다.

남자는 그 자리에서 크게 점프해 하늘로 도망쳤지만, 해일을 발판으로 한 카뮤도 뒤를 쫓았다. 손에 든 흑도를 휘둘러 처리하려고 하나— 남자의 오른손에서 불길이 치솟아 검 모양을 취하더니 카뮤의 칼을 받아냈다.

"……! 불 속성도?!"

여섯 가지 속성을 가지다니……. 카뮤도 이만큼 다양한 속성을 다루는 자는 이베엄밖에 몰랐다.

"냐하하, 아저씨 대단하지? 이욥!"

"큭!"

남자가 힘껏 불 검을 휘둘러 카뮤는 튕겨 날아갔다.

다시 땅에 내려와 대치한 두 사람.

카뮤는 자신의 손가락을 깨물어 피를 흘렸다. 그 피가 땅의 모래로 스며들었다.

"……내 피는 감염돼."

붉은색이 서서히 퍼지며 모래가 카뮤의 이명대로 《적사》로 변해 갔다.

"……! 뭐야, 그 붉은 모래는?"

하지만 카뮤는 설명하지 않고 지휘자처럼 양손을 움직여 붉은 모래를 조종하기 시작했다.

조금 전의 모래와는 비교가 되지 않는 속도로 무수한 붉은 가시가 남자에게 쇄도했다.

"……! 빨라?! 좀 전과 전혀 다르잖아!"

겨우 그 얼굴에서 여유가 사라지며 모래 가시를 피하기 시작했다.

붉은 모래는 카뮤의 신체 일부인 것처럼 의사 전달이 빠르고 자유도도 높았다. 그러니까 이동 속도도 보통 모래와는 격이 달랐다.

카뮤가 오른손을 휘두르자 붉은 모래가 순식간에 형태를 바꿔 굵은 몽둥이가 되었고, 남자의 오른쪽에서 땅을 휩쓸었다.

"으윽?!"

남자도 방어는 했지만, 기세를 막아내지 못하고 왼쪽으로 날아갔다. 그 앞에는 붉은 모래로 된 손이 기다리고 있었다. 이대로 붙잡을 생각이었다.

"——?!"

하지만 그때, 남자의 모습이 휙 사라져 버렸다.

"……! ……응? 어디?"

당연히 주위를 돌아보고 기운을 찾지만…….

"……전혀 안 느껴져."

마치 여기에는 처음부터 아무도 없었고 자신이 허깨비와 싸운 게 아닌가, 라는 착각마저 들었다.

잠시 그렇게 망연자실하게 서 있는데…….

"—마력?"

하지만 당황하지 않았다. 왜냐면 그 마력에는 카뮤의 마음을 안정시키는 따스함이 있었으니까.

공간을 비틀고 그곳에 나타난 사람은— 히이로였다.

"……히이로."

"흰 머플러, 전투가 있었나 본데…… 놓쳤어?"

히이로가 주변을 돌아봐도 적이 보이지 않아 현재 상황을 파악한 모양이었다.

"……미안."

기대받았는데 부응하지 못했다는 사실이 분해서 눈을 아래로 깔았다. 하지만 히이로는 고개를 좌우로 저었다.

"아니, 여기에 적이 있었다는 건 확실하지? 그거면 됐어. 어떤 녀석이었는지 알고 싶을 뿐이니까."

"응……."

카뮤는 여기서 있었던 일을 빠짐없이 히이로에게 보고했다.

"—그렇군. 검은 옷…… 역시 《마타르 데우스》인가. 일단 나라 주변도 확인하도록 시켰지만, 적의 기척은 여기에만 있었어. 너는 안 다쳤어?"

"괜찮……아."

"좋아, 돌아가자."

"히이로……."

"왜?"

"……미안."

"신경 쓰지 말라니까. 너는 시키는 대로 했고 정보도 얻었어. 떳떳하게 있어."

역시 히이로는 다정하다. 무뚝뚝하고 관심 없는 척하지만, 봐야 할 곳은 똑바로 봐주는 그가 정말로 좋았다.

"……응."

그래서 카뮤는 살며시 미소를 짓고 히이로와 함께 【파시온】으로 돌아왔다.

※

"와, 덕분에 살았어. 고마워!"

방금 카뮤와 싸우던 곳에서 조금 떨어진 숲 속. 남자는 껄껄 웃으며 눈앞에 있는 검은 옷의 인물을 보고 있었다.

"마음대로 행동하지 마세요, 킬츠 씨!"

남자와 달리 목소리 톤이 여자 같았다. 그 목소리에는 기막힘과 분노가 서려 있었다. 그리고 카뮤와 싸운 남자의 이름은 킬츠인 모양이었다.

"단독 행동을 삼가라고 폐하께서도 말씀하셨잖아요! 제가 돕지 않았으면 지금쯤 상대방에게 붙잡혀서—."

"그보다 배고프지 않아?"

"사람이 말을 하면 들으세요!"

"아하하하하! 싫어싫어~. 나는 잔소리 듣기 싫어~."

"다 큰 어른이 무슨 싫어싫어~ 예요!"

킬츠는 화내는 상대를 무시하고 【파시온】이 있는 방향을 돌아봤다.

"……있잖아, 란코."

"뭐, 뭐예요? 그리고 그렇게 부르지 말라고 몇 번이나 말씀드렸잖아요? 저는 란코니스예요."

"……히이로라는 꼬마, 기억해?"

"……제 말 무시하나요……. 후우, 히이로요? 전에 얼굴을 보여줬을 때 폐하께 대들던 빨간 로브 소년 말이죠? 그 애가 왜요?"

"아니, 뭐 별건 아니고. 그냥 내 마법을 순식간에 지워 버렸어."

"벼, 별거 아니긴 뭐가 아니에요! 그, 그보다도 정말인가요? 그 소년이 킬츠 씨의 마법을 지워 버렸다는 거."

"응, 일단은. 그래도…… 인사나 할 겸 가볍게 찔러나 본 건데…… 생각도 못 한 수확인가? 게다가 그 모래 꼬마까지. 이야, 인재가 많아서 부럽구만, 부러워."

킬츠는 안경 뒤에 숨은 눈을 야릇하게 빛내고는 입꼬리를 슥 올렸다.

"그런가요. 그럼 이제 가요. 볼일은 다 봤죠?"

"그래. 전쟁에는 관심이 없지만…… 재미있는 녀석을 발견해서 다행이야."

"네? 뭐라고 하셨나요?"

"아무 말도 안 했어."

킬츠는 다시 【파시온】이 있는 방향을 힐끔 보고는 로브를 펄럭이며 돌아서서 그곳을 떠났다.

※

"당 장 설 명 해, 히이로오오오!"

아놀드가 느닷없이 귀가 찢어질 듯이 소리치며 히이로가 있는 《알현실》로 뛰어들었다. 뒤에는 뮤아를 비롯해 아는 얼굴들이 모여 있었다.

당연히 이렇게 될 줄은 알았지만, 자세히 설명할 의무는 없을 텐데…….

"히, 히이로 님, 방금 그건 히이로 님이 하셨나요?"
"저, 저도 궁금해요!"
미미르와 뮤아도 히이로가 어떻게 물 인형을 일망타진했는지 궁금한 모양이었다.
"방금 그건 시험해 보고 싶은 기술이 있어서 써 봤을 뿐이야."
"그, 그래도요! 히이로 님이 나라를 구하신 건 어김없는 사실이에요!"
"맞다, 히이로. 네 덕분에 신속하게 사태를 수습했어. 고맙다."
미미르의 말에 편승해 레오우드가 감사를 표했다. 그렇다면 여기서는…….
"오, 그럼 감사의 표시로 대륙 일부를……."
"크흠! 그건 그거고 이건 이거다. 게다가 네가 도와주지 않았어도 우리만으로 해결할 수는 있었어."
분위기를 타서 은근슬쩍 약속을 받아내려고 했지만, 역시 수왕은 쉽게 넘어가지 않았다.
다른 이들도 아놀드와 뮤아처럼 눈빛으로 설명을 요구했다.
"방금 그건 자세히 말해줄 수……."
"그렇지~. 나는 정령이니까~."
"없는……데……?"
"아까 그 공격은 《섬광 불꽃》이라고 해. 내가 폭발하는 거

봤지?"

"……."

"그건 나라는 존재의 특이 능력이지. 빛 속성 마법을 수많은 탄환으로 바꿔서 적을 무찌르는 기술로…… 히, 히이로? 왜, 왜 내 머리를 그렇게 꽉 잡는 걸까?"

기껏 말을 돌려 자신의 능력을 숨기려고 했건만…… 이 몸도 입도 가벼운 동물이 사람들 앞에서 아주 의기양양하게 폭로하고 말았다.

"너 이 자식……."

"괘, 괜찮잖아, 이 정도쯤은! 알려진다고 뭐가 닳아?! 그리고 이런 스포트라이트를 받으면 나 엄청나게 흥분된다고!"

애처럼 떼쓰는 텐을 보고 말싸움할 마음도 가셨다. 어쩔 수 없이 한숨 쉬고 설명하든 말든 알아서 하라고 했다.

따지고 보면 히이로의 능력이라기보다 텐의 능력이므로 본인이 말하고 싶다면 딱히 말릴 이유도 없었다. 게다가 괜한 소리(예컨대 약점이라거나)는 말하지 않으리라고 판단했다.

텐의 독무대가 펼쳐지고, 놀랍게도 레오우드까지 흥미진진하게 귀를 기울였다.

하지만 궁금할 만도 했다. 히이로가 벌인 짓은 그만큼 이질적이고 초현실적이었으니까.

아무튼 텐의 설명은 이러했다.

자신과 《절도 잔게키》는 일체화했다. 한마디로 둘 다 정령, 아니, 고위 정령의 힘을 가지는 셈이다.

그 힘이란—《마법 무효화 능력》.

이 능력을 이용해 마법으로 만든 물 인형을 무효화했다는 단순한 이야기지만, 그때 텐은 몸을 폭발시키기 전에 적의를 탐지해 적의 위치를 전부 파악해 뒀다.

《섬광 불꽃》은 빛의 구슬이 된 텐에게 《잔게키》를 꽂으면 불꽃처럼 폭발해 산개한다. 그리고 흩어진 텐은 섬광이 되어 하늘에서 적에게 빗발친다.

적의가 없는 자에게는 해가 없어서 물 인형에 잡힌 국민들을 꿰뚫어도 상처는 생기지 않았다. 간단하게 요약하면 범위 내에서 마법을 모조리 무효화한 셈이었다. 참고로 물리적인 피해는 전무했다.

히이로는 득의양양하게 설명하는 텐을 보고 한숨을 쉬는데…….

"히이로오오오오오오!"

두다다다다, 이곳으로 익숙한 목소리가 다가왔다. 그 흰 물체는 틀림없이 야옹이, 쿠로우치였다.

"봤다냐아아아앙! 역시 히이로는 대단하냐아아아앙!"

이대로 있으면 또 매달리기라는 이름의 태클을 해올 테니까 지체 없이 『교대(交代)』 문자를 썼다.

'용서해라…… 새 인간.'

그렇다. 또 똑같은 수법을 쓴 것이었다.

"어흑?!"

눈 깜짝할 사이에 히이로와 위치가 바뀐 《삼수사》의 리더 바리드는 전과 똑같이 쿠로우치의 태클을 정통으로 맞고 날아갔다.

"냐아아아아앙! 또 바리드다냐아아앙! 왜냐아아앙!"

"작작…… 좀 해…… 으윽."

고개를 털썩 떨어뜨린 바리드에게 모두 연민 어린 눈길을 보냈다.

※

—물 인형 습격 사건으로부터 며칠 후, 【수왕국】의 상층부와 병사들은 경비 강화에 쫓기는 한편, 뮤아와 미미르는 《왕수》 정원에서 작물을 수확하거나 씨를 뿌리고 있었다.

전시에 식량 확보는 중요하고, 두 사람 모두 뭔가 도움이 되고 싶다며 자처해서 이 작업을 맡은 것이었다. 그리고 텐도 농업은 처음이라 두 사람과 달리 의외로 즐겁게 일을 돕고 있었다.

여기서 자란 작물은 먹을 수 있는 것이 많고 국민들에게 자주 나눠주기도 했다. 이곳의 책임자는 아놀드의 누나 라이브인데, 그녀가 키운 꽃과 작물은 인기가 좋고 찾는 사람도 많았다. 그래서 이곳은 식량 확보의 중요한 거점이기도

했다.

“자~ 차 한 잔 마시고 해!”

그때 라이브가 참을 들고 나타났다. 손에는 차와 먹을 과자가 준비되어 있었다.

날씨가 좋으니까 그대로 정원에서 차를 마시기로 했다. 텐도 과자를 입에 넣고 행복하게 헤벌쭉거렸다.

시답잖은 잡담을 나누는데 갑자기 라이브가 두 미소녀를 보며 능글맞게 웃었다.

“너희, 그 빨간 로브, 히이로 좋아하지?”

““부흐읍?!””

뮤아와 미미르는 함께 차를 뿜으며 콜록콜록 기침했다.

“무, 무무무무무무무슌 말씀이세여!”

“그, 그레여! 가, 갑자기 이상한 말 하지 마세여, 라이브 씨!”

두 사람의 얼굴은 우스울 만큼 새빨갰고 그것을 본 라이브는 웃음을 터뜨렸다.

“아하하하하! 너희, 그 반응만 봐도 알겠어! 아하하하하! 응? 뭐야, 너는 알고 있었어?”

라이브가 똑같이 히죽거리는 텐의 얼굴을 보고 그렇게 판단한 모양이었다.

“그야 그렇지~. 눈치채지 못한 사람은 솔직히 히이로뿐이지 않아?”

“그래 보여. 그 녀석의 마음을 꿰차려면 쉽지 않겠어.”

“으음, 애초에 왜 아가씨들은 그런 퉁명하고 비뚤어진 녀석을 좋아해? 아무리 생각해도 피곤한 성격인데.”

없다고 아주 막말을 한다. 텐은 신기해하며 묻지만, 두 사람은 아직 얼굴이 새빨개서 고개를 숙인 채였다. 이제는 손과 몸까지 꼼지락대기 시작했다.

““그, 그건…….””

마치 자매처럼 호흡이 척척 맞았다. 귀여운 몸짓이었다.

“우선 뮤아부터. 말해 봐, 말해 봐.”

“하으! 져, 져요?! 저…… 그…… 그건 말이죠…… 그게…….”

입을 열 때까지 상당히 시간이 걸렸지만, 뮤아는 처음 만나고 여행을 하던 사이에 히이로에게 끌렸다고 했다.

“그, 그렇게 보여도…… 히이로 씨는 다정한 면이 있고…… 머, 멋있기도 하고…… 무, 무엇보다 확고한 주관이 있어서 대단하다고 생각했어요…….”

뮤아가 입을 움직일 때마다 머리에서는 풀풀 김이 났다. 더 말하게 했다가는 폭발하지 않을까 걱정될 정도였다.

“그랬구만. 그럼 미미르는?”

“으…… 저는…… 말이죠…….”

조금 말하기 껄끄러운지 몸을 빼던 미미르는 가볍게 심호흡하고 빙그레 웃음 지었다.

“저는…… 그분에게 은혜를 입었어요. 하지만 그건 그분을 알게 된 계기에 불과해요. 저는…… 저는 처음 만났을 때부터 그분에게 마음을 사로잡혔어요."

"흐음, 한눈에 반했어?"

"아뇨, 운명이에요."

"……아니, 그러니까 한눈에 반한……."

"운명이에요."

"그, 그러니까 그게……."

"운명이에요."

"……응. 미미르와 히이로는 운명으로 이어진 사이구나!"

텐은 더 이상 반론하기를 포기하고 깔끔하게 인정했다. 미미르는 활짝 웃으며 「네!」 하고 답했다.

"게다가 뮤아도 말했어요. 운명이라고."

"아, 으, 응."

"우리와 히이로 님은 끊으래야 끊을 수 없는 운명의 끈으로 묶여 있어요. 적어도 우리는 그렇게 믿어요."

미미르와 뮤아는 서로를 보며 「그치~」라고 말하고는 손을 맞잡고 꺄르륵 웃었다.

"캬, 이게 눈에 콩깍지가 꼈다는 거구만. 그 건방진 안경잡이, 대체 여자를 몇 명이나 후릴 셈이지."

텐의 그 말에 뮤아와 미미르의 귀가 움찔하더니 분위기가 180도 바뀌었다. 그리고 두 사람이 동시에 텐에게 고개를 돌리고 싱긋 웃었다.

""텐 씨, 그 이야기, 자세히 들려주실래요?""

"네, 네?"

웃고 있는데 감히 거절할 수 없는 위압감이 흘러나왔다. 텐은 꿀꺽 숨을 삼켰다. 라이브조차 억지웃음을 지으며 잽싸게 도망가 버렸을 정도로.

"……부, 분부대로 합죠……."

훗날 텐은 말했다. 그날의 박력은 『정령왕』보다 강했다고.

※

【마국 하아스】에 있는 마왕성의 어느 방. 그곳에서는 두 소녀가 최근 성 안에서 들린 이야기를 놓고 의논하고 있었다.

그 이야기란 【수왕국 파시온】이 습격받았다는 사실, 【인간국 빅토리어스】가 선대 마왕에게 점령됐다는 사실이었다.

특히 【파시온】의 상징인 《시작의 나무 아라고른》을 마르게 한 자의 정보를 얻었을 때, 두 사람의 표정은 심란하게 변했다.

한 명은 미나모토 슈리. 이 【이데아】라는 세계에 소환된 네 명의 용사 중 한 명. 그녀의 품행은 기품이 있고 학교에서는 요조숙녀라고 불리던 소녀였다.

그리고 다른 한 명은 아카모리 시노부. 똑같이 소환된 용사며 호기심 덩어리에 붙임성 좋은 얼굴이 인상적인, 사투리를 쓰는 소녀였다.

"진짠가……?"

평소에는 밝은 시노부의 표정이 지금은 한껏 어두워졌다.

그녀들은 이 【하아스】에 침공했을 때, 자신들이 순진했다는 것을 깨닫고 전쟁의 무서움을 몸소 맛봤다.

그때 다른 용사인 아오야마 타이시, 스즈미야 치카와 떨어졌지만, 두 사람은 자신의 과오를 인정하고 마왕성에 스스로 출두했다.

마왕 이베엄은 그녀들의 각오를 인정하고 목숨을 빼앗지는 않았다. 하지만 이대로 방치할 수는 없어서 연금이라는 조치를 취한 것이다.

그렇지만 성 안에서는 감시가 붙어도 어느 정도 자유가 인정되고 의식주가 보장되므로 두 사람은 딱히 불편한 경험은 하지 않았다.

"진짜로…… 타이시가 그른 짓을……."

그녀들의 표정이 어두운 이유, 그건 타이시 때문이었다.

그가 무사하다는 소식에는 두 사람 모두 솔직히 기뻐했다. 하지만 이야기를 들으니 타이시가 왠지 【파시온】의 상징이자 수인들이 소중히 여기는 《시작의 나무 아라고른》을 말라 버리게 했다고 한다.

둘은 타이시가 그런 짓을 할 인물이 아니라고 생각했지만, 정보를 들은 인물의 인상착의가 타이시와 같다는 것은 다름 아닌 두 사람이 가장 잘 알았다.

하지만 둘은 그래도 무언가 착오가 있으리라 믿고 이렇게 이야기를 나누고 있었다.

"하지만…… 들은 외모가 타이시 씨와 똑같아서……."

"글고 목격한 사람들이 들었다 안 카나……. 적 중 한 명이 한패를 용사라고 불렀다고……."

그것이 가장 큰 근거였다. 용사— 그건 이 세계에 네 명밖에 존재하지 않으며 남자면서 용사라고 불리는 사람은 타이시밖에 없었다. 적어도 두 사람이 아는 한에서는.

"이게 대체 먼 일이고? 만약에 진짜라고 해도 와 그런 짓을 하노……?"

"모르겠어요. 하지만 그때 여자는 없었다고 해요. 그럼 치카 씨는 곁에 없었다는 뜻이겠죠?"

"그르치. 글고 만약 진짜 타이시라면, 믿을 수는 없지만…… 지금 타이시는 선대 마왕 부하라는 뜻이데이."

타이시의 동료라는 인물이 코쿠로라는 수인이었다는 소식도 들었다. 그 코쿠로가 선대 마왕 아보로스의 동료라는 사실까지도.

"……치카 씨는 무사할까요?"

"……내라고 우예 알겠노."

"타이시 씨…… 왜 치카 씨와 같이 있지 않을까요? 따로 떨어졌을까요? 왜 그런 짓을 할까요……. 이유를 모르겠어요."

슈리가 슬프게 눈을 깔고 흘러넘치는 의문을 입에 담는 사이, 시노부는 턱에 손을 대고 생각에 빠졌다. 그리고 그

입이 천천히 움직였다.

"이유…… 슈리, 선대 마왕의 성격은 들었나?"

"네? 아, 네. 그게 아주, 잔혹하고 비열한 사람이라고……."

"방금 슈리가 말했제? 치카랑 같이 없었다고."

"네."

"만약에 타이시가 그렇게 할 수밖에 없는 상황이라믄 어떻노?"

"……? 무슨 말이죠?"

시노부는 검지를 세우고 슈리의 눈을 빤히 들여다봤다.

"그러니까 타이시가 협박을 받는다는 기다."

그 말을 듣고 눈치챘는지 슈리의 눈이 커졌다.

"호, 혹시…… 치카 씨를 인질로 잡았다는 말인가요?"

"그럴 가능성이 크다는 기다. 타이시가 남이 소중하게 여기는 걸 아무 이유도 없이 망가뜨릴 아가?"

"그, 그러네요. 하지만……."

"와?"

슈리의 어두운 표정을 보고 시노부는 물었다.

"아, 아니에요……."

말하기를 꺼리는 슈리를 보고 시노부는 고개를 갸웃거렸다.

"할 말 있으믄 해라."

"……네. 그게…… 만약 치카 씨를 인질로 잡았어도 왜 그런 일을 하죠?"

슈리의 말에 충격을 받았는지 시노부는 벌어진 입을 다물지 못했다.

"……슈리? 그건 어쩔 수 없는 일 아이가? 인질이 있으믄 시키는 대로 해야지."

"그럴까요?"

"……먼 말이고?"

"그럼 왜 타이시 씨는 우리에게 아무것도 남기지 않는 걸까요?"

"……응?"

"아무리 치카 씨를 인질로 잡혔어도 뭔가 단서를 남길 수는 있을 거예요. 예를 들면 일본어로 적은 종이를 누군가에게 넘기는 식으로. 어떻게든 우리를 찾아서 협력을 요청할 노력이라도 할 수 있었을 거예요!"

슈리가 흥분해서 말을 쏟아내는 박력에 달변가인 시노부조차 압도당해 버렸다.

"슈리…… 그, 근데 그마저도 불가능한 상황일 수도 있다 아이가."

"들은 바로는 타이시 씨는 잠시 혼자 행동했다고 해요. 그 정도는 가능했을 거예요!"

"……슈리, 화났나?"

"화났어요! 당연하죠! 타이시 씨는 보나 마나 자기 때문에 이렇게 됐으니까 스스로 해결해야 한다고 생각하겠죠! 왜 우리를 믿어주지 않는 건가요!"

"……슈리……."

"혼자 결심하고…… 그 결과로 수인들의 소중한 것을 망가뜨리고, 지금은 【빅토리어스】까지 점거하고! 왜 그 사람은 잘못된 선택만 하나요!"

슈리는 가슴에 진 응어리를 전부 토하는 것처럼 눈을 질끈 감고 말을 뱉어냈다. 슈리의 감정적인 면을 본 시노부도 할 말을 잃고 그녀를 바라볼 뿐이었다.

"왜 혼자 마음대로…… 우리는 동료인데……."

슈리의 눈에서 눈물이 흘렀다. 말을 잃었던 시노부도 그녀의 통곡을 듣고 크게 한숨을 쉬었다.

"……맞다. 슈리 니 말이 맞네. 아마 치카를 위해서겠지만, 타이시는 하믄 안 되는 짓을 하고 있다. 용사면서 마왕의 세계정복에 가담하는 기 말이나 되나."

씁쓸하게 웃은 시노부는 창가로 걸어갔다.

"근데 여기 연금된 우리도 타이시를 욕할 처지는 아이다."

"그건……."

"이대로 가면 타이시랑 치카가 진짜 돌이킬 수 없는 곳까지 가 버릴 거 같다. 특히 타이시가……."

"시노부 씨……."

슈리는 눈에 고인 눈물을 손가락으로 훔치고 시노부를 바라봤다. 시노부는 아직도 창밖을 바라보고 있었다. 두 사람의 마음과는 반대로 맑게 갠 하늘이 펼쳐져 있었다.

"타이시가 잘못하믄 그걸 막는 것도…… 아니, 구하는 것도 우리가 할 일 아이겠나?"

"……맞아요."

"우리는 지금 연금돼서 아무 데도 못 간다."

"네."

"그래도 힘을 빌려주면 자유롭게 움직여도 된다고 했제?"

이베엄이 말했다. 이대로 두 사람을 쭉 가둬 두는 것도 마음이 편치 않다. 그러니까 만약 나라를 위해서 힘써준다면 외출 허가도 내릴 수 있다고.

분명히 그녀들은 용사고 이 나라에 쳐들어왔지만, 실제로는 아무 짓도 안 했다고 말해도 과언이 아니었다. 뭔가 하기 전에 잡혔기 때문이지만.

그녀들은 직접 『마인족』을 다치게 하지는 않았다. 그저 입장상 문제로 이렇게 자유가 제한됐을 뿐이었다.

그러니까 지금 그녀들에게 싸울 의지가 없다는 건 이베엄도 알고 있으므로 만약 그녀들이 그 힘을 이 나라, 아니, 세계를 위해서 쓰겠다고 하면 나갈 수도 있었다.

"타이시 이야기를 듣고 계속 생각했다. 이대로 가만히 있으면 안 된다고."

"네, 그러네요."

"그르니까 나는 군대에 들어갈란다."

"군대요……? 굳이 군대가 아니어도 된다고 슈브라즈 씨가 말씀하셨어요."

그러자 시노부는 검지를 까딱까딱 저었다.

"슈리는 순진하네. 군대에 들어가면 만약 싸움이 벌어졌을 때 전선에 나갈 확률이 높지 않겠나?"

"그건 그렇겠죠?"

"선대 마왕은 전 세계에 싸움을 걸었데이. 우짜믄 이 나라도 그 싸움에 말려들 기다."

"네."

"그 싸움, 타이시가 선대 마왕 쪽에 있으면 나오지 않겠나?"

"앗?!"

전쟁을 일으키려는 선대 마왕 아보로스 진영과 싸우게 된다면 군대에 있는 편이 만날 확률이 높았다.

거기서 타이시를 잡아서 정신을 차리게 하면 된다. 일이 잘 풀리면 인질로 잡힌 치카를 구할 방법도 찾을 수 있으리라.

섣불리 둘이서 움직이기보다 큰 힘을 가진 이 나라의 군대에 속해야 최신 세계정세도 알 수 있고, 어쩌면 타이시와 치카의 정보도 들어올지 모른다. 전쟁이 일어나기 전에 두 사람을 구출할 가능성도 있다.

"하, 하지만 그렇게 잘 풀릴까요?"

"안 되겠지."

"네?!"

시노부가 너무 쉽게 부정해서 놀라고 말았다.

"안 그르나? 세상일이 다 마음대로 됐으믄 우리가 이런 데 있었겠나."

"아……."

반박할 수 없는 사실을 들이대서 슈리는 할 말을 잃었다.

"그래도 우리끼리만 움직이는 것보다는 그게 훨씬 낫다. 그리고……."

시노부는 이를 드러내며 웃었다.

"나는 여기 사람들 싫지가 않더라. 설명하기 좀 그른데, 【빅토리어스】에 있을 때보다 따뜻하다고 해야 하나……."

"……그러네요. 그리고 마왕님도 좋은 분이고요."

"아하하, 그건 맞지! 국왕이면서 가끔씩 여기까지 간식도 가져와 주고, 별난 임금님이 다 있더라."

"이야기해 보면 평범한 여자애예요."

"그르게. 우리랑 뭐 다를 게 없지. 그래도 필사적으로 싸우고 있데이. 우리라고 질 수 있나."

시노부는 힘찬 눈빛으로 슈리를 돌아봤고, 슈리도 똑같이 힘주어 고개를 끄덕였다.

"강해지자, 슈리. 그라고 그 둘을 구하는 기다."

"네!"

두 사람의 인연은 더욱 깊어졌다. 하지만 그녀들은 아직 알지 못했다. 그녀들과 타이시의 재회는 슬픔과 고통으로 점철된 싸움이 되리란 것을—.

에필로그 I

상쾌한 밤바람이 불고 하늘에는 쏟아질 듯한 별들이 빛나고 있었다. 나라의 상징이던 거목을 잃은 【수왕국 파시온】도 소란스러운 낮과 달리 정적으로 둘러싸였다.

오카무라 히이로는 《왕수》 정원에 자란 키 큰 나무의 가지에 앉아 하늘을 보고 있었다. 고개를 내리면 도시가 한눈에 들어올 만큼 높은 곳이었다.

"—이런 곳에 있었냐?"

귀찮아하는 목소리가 들렸다. 굳이 눈을 돌리지 않아도 누군지는 알았다.

"무슨 일이야, 아저씨?"

돌아보지도 않고 뒤쪽으로, 목소리의 주인인 아놀드에게 말했다. 그도 어차피 알아차릴 거라고 생각했는지 놀라지도 않고 말을 이었다.

"딱히 큰 볼일은 아니야."

"그럼 갈 길이나 가지?"

"으…… 하여간, 여전히 말본새가 글러 먹었어."

히이로의 버릇없는 말투에 인상을 찌푸리지만, 곧 한숨과 함께 표정을 풀었다.

"뮤아랑 미미르 님이 찾더라."

"그래?"

"그 둘은 네가 와줘서 기쁘겠지. ……인정하고 싶지 않지만."

노골적으로 질투가 담긴 말이지만, 히이로는 신경 쓰지 않았다. 그가 딸 바보라는 것은 만났을 때부터 알던 사실이니까.

"……히이로."

"……?"

"너는 왜 그렇게 강해지려고 하냐?"

새삼스럽게 무슨 말을 하나 싶어 그의 눈을 봤지만, 그 눈동자 속에서 진지함을 엿보고 장난이나 허투루 한 질문은 아니라고 알았다.

"낮에 있었던 습격…… 그런 짓을 할 수 있을 만큼 강하면서 아직도 더 강해지려고 해?"

그런 짓이란 히이로가 물 인형을 한번에 없애 버린 일이리라.

"그걸 질문이라고. 그럴 이유는 하나밖에 없지."

"엉? 하나?"

"아직 죽기 싫으니까."

"……아니, 네 마법이 있으면 죽음도 막을 수 있지 않냐?"

"가능……할지도 모르겠군. 해 본 적은 없지만."

그건 『불사(不死)』라는 문자를 쓰면 되지 않느냐는 뜻이었다. 하지만 목숨과 관련된 문자는 가급적 쓰지 않기로 했다.

《반동(리바운드)》이 두렵다는 이유도 있지만, 만약 불사가 되면 지금 자신이 가진 마음을 잃을 거라는 생각 때문이었다.

"그건 왜 안 해?"

"……살아 있으니까."

"뭐?"

"이렇게 살아 있으니까 죽지 않으려고 더 필사적으로 노력하는 거야. 하지만 만약 불사가 되면 전부 의미를 잃어버리잖아……."

"히이로…… 너……."

"나는 절대로 목숨을 소홀히 하고 싶지 않아. 특히 내 목숨은."

"왜 그렇게까지 집착해? 불사가 될 수 있으면 앞으로 있을 싸움에 대비해 쓰는 게 좋지 않아? 안 그래도 너, 그 선대 마왕한테 찍힌 모양이던데."

아놀드 말대로 정체 모를 상대와 목숨을 걸고 싸울 가능성이 있는 이상, 불사가 되는 편이 승률은 높을 것이다.

"아저씨 말대로 정말로 불사가 될 수 있다면 그야말로 무적이겠지."

"그렇다면……."

"하지만 그건 좀 아니야."

"아니라고?"

"비겁하다거나 그런 이야기가 아니라, 뭔가 그 선을 넘으면 지금까지 필사적으로 살아온 나를 배신하는 느낌이 들어."

"흐응, 그게 그렇게 돼?"

"적어도 나는 그래. 게다가…… 그랬다가는 나를 지키려고 목숨을 잃은 부모님한테도 혼날 거 같아. 잔소리를 듣기는 귀찮지."

"허, 의외네. 네가 그런 이야기를 해주다니. 원래는 너랑 상관없다고 말하면서 쫓아낼 줄 알았는데?"

평소 히이로라면 필요 이상으로 자기 이야기를 하지 않는다. 하지만 오늘만은 자신뿐 아니라 부모님 이야기까지 들려줘서 아놀드는 적잖게 놀라고 있었다.

"가끔 이런 날도 있어."

히이로는 밤하늘을 올려다보며 눈을 감았다. 그리고 어릴 적, 부모님과 자신이 여행을 갔던 날을 떠올렸다.

"……듣고 싶어?"

"엉? ……너희 부모님 이야기?"

""드, 듣고 싶어요!""

갑자기 새된 목소리 두 개가 동시에 들렸다. 돌아보니 언제부터 있었는지 뮤아와 미미르가 아놀드 옆에 서 있었다.

두 사람 다 진지한 눈빛을 히이로에게 보냈다.

히이로는 그 둘에게서 눈길을 떼고 다시 하늘을 올려다봤다.

'……별이라.'

천천히 눈을 감은 히이로가 조용히 이야기를 들려줬다.

그것은 히이로가 다섯 살 때의 일—.

맞벌이로 바쁘던 부모님이 웬일로 휴가를 얻어 아버지와 어머니, 그리고 히이로가 가족 여행을 떠났을 때의 일.

"엄마, 엄마, 정말 이런 산속에 온천이 있어?"

차 뒷좌석에 앉은 히이로는 바깥에 펼쳐진 산 풍경을 보며 조수석에 있는 어머니에게 말을 걸었다.

"그럼. 아빠가 아는 사람이 알려줬어. 비밀 온천이 있다고."

"와, 그렇구나. 빨리 가고 싶어~!"

어릴 적 히이로는 붙임성이 좋아 누구에게나 웃음을 보이고, 호기심 강하며 솔직한 아이였다.

마지막으로 가족 여행을 떠난 건 반년도 전의 일이었다. 평소 부모님이 일에 쫓겨 놀아주지 않은 탓에 외로웠던 히이로는 이날을 손꼽아 기다렸다.

그래서 이렇게 여행을 하는 내내 히이로의 마음은 행복으로 차 있었다.

그런 아이가 어찌 알았겠는가. 행복이란 오래 가지 않고, 금세 절망으로 변해 버리기도 한다는 것을—.

그 일은 산길의 커브로 들어섰을 때 일어났다.

—한순간, 무슨 일이 벌어졌는지 이해하지 못했다.

맞은편에서 오던 차가 커브를 완전히 꺾지 못하고 히이로 가족의 차에 충돌한 것이었다.

히이로가 탄 차는 가드레일을 뚫고 절벽으로 떨어졌다.

“으…… 아.”

머리를 부딪쳤는지 통증을 느끼며 깨어난 히이로는 순간 이곳이 어딘지 파악하지 못했다.

낙하의 충격으로 좁아진 차량 내부는 깨진 유리가 사방으로 흩어졌고 밖에서는 연기가 피어오르고 있었다.

무슨 일이 벌어졌는지 생각난 히이로는 아버지와 어머니를 불렀다.

“아빠, 엄마!”

하지만 두 사람은 움직이지 않았다. 힘없이 머리가 늘어진 아버지는 이미 숨이 끊어졌는지 미동도 하지 않았다.

“아빠…… 아니지……?”

하지만 그때…….

“…………히……이……로.”

문득 들린 말소리에 놀라서 그쪽을 돌아봤다. ―어머니였다.

다행이다. 자신은 아직 혼자가 아니다. 그 구원의 손길에 안심했다.

어머니의 몸이 움찔 움직인 것을 느끼고 곧바로 안전벨트를 풀어 옆으로 갔다.

그리고― 어머니의 몸을 보고 소름이 끼쳤다.

아마 낙하할 때 들어온 나뭇가지일 것이다. 그 가지가 차 문을 뚫고 어머니의 옆구리를 관통해 있었다. 상처에서는 어마어마한 양의 피가 흘렀다.

하지만 그런 상황에서도 아직 어머니는 희미하게 의식이 있었다. 히이로는 눈물을 흘리면서 어머니를 불렀다. 그 목소리에 반응해 무거운 눈꺼풀을 올린 어머니가 떨리는 입술을 달싹거렸다.

"다행……이야. 무사……해서."

격통으로 말을 쥐어짤 여유도 없었을 것이다. 하지만 어머니는 히이로를 안심시키려고 웃으면서 돌아봤고, 히이로의 얼굴을 보고는 안도의 한숨을 쉬었다.

"엄마! 피 나! 병원 가야 해!"

그래도 어떻게 의사를 불러야 할지 몰랐다. 이럴 때 어떻게 하면 좋을지 냉정하게 판단할 수 있을 만큼 히이로는 성숙하지 않았다.

그때, 어머니가 잔혹한 말을 꺼냈다.

"쭉…… 지켜주지 못해서 미안해. 히이로…… 미안……해."

"……어?"

어머니는 이미 자신에게 시간이 남지 않았다는 것을 알았으리라. 히이로의 얼굴을 보고 무사하다고 판단한 어머니는 웃음을 지으며 이렇게 말했다.

히이로도 어머니의 심상치 않은 상태에 눈물을 흘리며 그녀에게 매달렸다. 하지만 점점 핏기가 가시는 어머니의 얼굴을 보고 마음이 찢겨나갔다.

그래도 그런 히이로를 안심시키려는 것인지, 어머니는 평온하게 웃으며 머리를 쓰다듬어줬다.

"히이로…… 앞으로…… 힘든 일이나…… 슬픈 일이…… 많이 있을 거야……. 그래도…… 그래도 포기하면…… 안 돼. 네 생각대로 필사적으로…… 살아가렴."

어머니는 눈물을 흘리면서도 웃음을 잃지 않았다.

"하고 싶은 일을…… 해……. 참지 말고…… 열심히……. 그래도…… 떳떳하지 못한 일은…… 하면…… 안 돼."

"하지 마…… 하지 마아…… 그런 소리 하지 마, 엄마!"

히이로는 이미 눈물로 앞이 보이지 않았다. 어린데도 머리가 좋았던 히이로는 어머니의 말이 작별 인사라고 어렴풋이 알고 있었다.

그런 히이로에게— 톡.

어머니가 부드럽게 검지로 이마를 찔렀다. 그리고 싱긋 웃으며 말했다.

"얘도, 남자는 그렇게 쉽게…… 우는 거 아니야……. 슬픔은…… 여기에…… 이곳에 두고…… 가렴……. 그러면…… 앞으로…… 너를 기다리는 건…… 분명히 행복뿐……이니까."

그리고 한 번 더 히이로의 이마를 찔렀다.

"잠시 헤어지겠지만…… 저쪽에서…… 기다릴게…… 아빠랑. 그……러니까—."

—올곧게 살렴…… 히이로.

그리고 어머니는 조용히 눈을 감았다.

"으…… 흑! 안 돼…… 안 돼 안 돼 안 돼! 안 돼애애애! 일어나아아아, 엄마아아아!"

아무리 울고 소리쳐도, 신에게 빌어도, 두 번 다시 그 눈꺼풀은 움직이지 않았다.

그로부터 몇 시간이 지났는지 모르겠다. 멍하게 깨진 창으로 하늘을 바라보고 있었다. 그곳에는 얄미울 정도로 아름답게 빛나는 밤하늘이 펼쳐져 있었다.

사고가 일어난 원인은 맞은편 차 운전자의 졸음운전이었다고 한다. 히이로는 밤에 구조대에게 보호받았지만, 결국 홀로 남아 보육원에 보내졌다.

—히이로는 밤하늘을 보며 과거를 털어놓았다.

별이 총총한 하늘을 올려다볼 때마다 부모님 생각이 났다. 어머니의 말이 떠올랐다.

목숨이 자기 손에서 빠져나가는 감각을 안 히이로는 구조된 후로도 쭉 지키는 신념이 있었다. 그것은—.

『올곧게 살아가는 것』.

어머니가 말했으니까. 물론 그런 이유도 있지만, 자신이 믿는 길을 똑바로 나아가면 틀림없이 부모님을 떳떳하게 뵐 수 있다, 돌아가신 부모님께도 혼나지 않는다. 그렇게 생각해서였다.

"어머니는…… 화내면 무섭지. ……근데 너희는 왜 울어?"

뒤를 보자 어느샌가 카뮤와 텐까지 모여서 눈물지었고, 참다못해 오열하는 사람도 있었다.

"흐윽…… 히이로 씨에게…… 그런 일이……."

"으으…… 저는…… 저는 언제까지고 곁에 이쓸게여……"

뮤아와 미미르는 얼굴이 눈물범벅이 됐다.

"아저씨까지……."

"시, 시끄러워, 인마! 나는 안 울었어! 이건 마음의 땀이야!"

"……나 참."

히이로는 그들의 순수함에 무심코 미소 지으며 고개를 저었다.

그런 히이로 옆으로 텐이 아장아장 걸어와서 아무 말 없이 같은 하늘을 올려다봤다.

"야, 노란 원숭이."

"응? 왜?"

"나는, 올곧게 살 거야."

"……."

"아무도 방해하게 두지 않아. 나는 내가 믿는 길을 걸어. 거기에 장애물이 있으면 더 강해져서 쳐부수면 돼. 불사 같은 거 쓰지 않아도, 나는 강해질 거야."

"……헤헤헤! 우키키! 그래야 내가 인정한 계약자지!"

"응…… 히이로와 같이…… 나도 강해질래."

카뮤가 평소에는 그다지 보이지 않는 웃음을 보였다.

이런 녀석들이라서 히이로는 자신의 과거를 밝혔으리라. 솔직히 말해서 누구에게도 말할 생각은 없었지만, 그들을 향한 신뢰와 이 밤하늘이 그러도록 시켰는지도 모르겠다.

“저, 저저저기, 히이로 씨와 잠깐 같이 있어도 될까요!”

“저, 저도요! 저도 히이로 님과 이야기를 나누고 싶어요!”

“뮤아…… 미미르, 치사해. ……히이로…… 나도 같이.”

그 세 사람의 반응을 보고 한숨을 쉬고 말았다.

“포기해, 히이로. 기왕 말문을 튼 김에 네가 아직 말하지 않은 비밀 이야기라도 하는 건 어때? 야야, 사실대로 말해 봐. 마계에서 좋아하는 애가 한두 명쯤…… 응?”

아놀드가 말을 중단할 만했다. 그의 두 어깨에 올라온 손이 얼마나 강한 악력으로 쥐었는지 우득우득 소리가 나고 있었다.

“아, 아픈데요…… 아가씨들?”

“아저씨, 잠깐 우리랑.”

“이야기 좀 할까요?”

뮤아와 미미르가 후후후 웃었다. 그 뒤로 악귀의 모습이 어른거렸다.

“앗, 잠깐! 그, 그그그그냥 농담한 거야!”

“농담도 가려서 해야지, 아저씨!”

“그래요! 용서할 수 없어요!”

"죄송해요오오오오오!"

두 소녀를 화나게 해서 도망치는 30대 아저씨. 참으로 우스꽝스럽고 가련한 광경이었다.

'정말로 지겹지도 않나, 저 아저씨는…….'

히이로는 다시 하늘을, 그 검은 두 눈으로 바라봤다. 그때와 같은 별들. 그때, 자기 자신에게 한 맹세를 떠올리고 조용히 생각했다.

'어머니, 아버지. 나는 앞으로도 최선을 다해서 살게, 올곧게—.'

그러니까 지켜봐줘. 히이로는 조용히 마음속으로 말했다.

에필로그 Ⅱ

—【인간국 빅토리어스】의 왕성. 그곳 지하 감옥에 감금된 《클루엘 서열 3위》 텍케일 시저는 땅이 꺼지게 한숨 쉬었다.

"……슬슬 잡혀 있는 것도 지겹네요."

양손에는 마법 사용을 봉하는 마도구 수갑을 차고 있었다. 싸늘한 감각에 마치 자신이 죄인이 된 기분마저 들었다.

선대 마왕 아보로스에게 잡혀 오랜 시간 이렇게 구속되어 있었다. 이제는 이 지루한 옥중 생활에도 넌더리가 났다.

마법만 쓸 수 있으면 탈출은 간단하지만, 수갑이 튼튼해서 부수려고 해도 꿈쩍도 하지 않았다.

"지금 세상이 어떻게 돌아가려나……. 폐하가 무사하면 좋겠는데. 그래도 설마 선대 마왕이 【빅토리어스】를 점령할 줄이야…… 대체 무슨 생각이지?"

아무도 대답할 리 없는 질문을 이렇게 하루에 한 번씩 입 밖으로 냈다. 아보로스의 목적이 세계정복인 것은 알지만, 여기서는 그 진행 상황도 파악할 수 없었다.

감시병은 거기에 대답해주지 않아서 전혀 정보가 들어오지 않았다.

다만, 이곳으로 끌려올 때는 놀랐다. 지금까지 어두운 동굴 안에 갇혀 있었는데 그 다음으로 이동한 곳이 【빅토리어스】 왕성이었으니까.

"그러고 보니 용사들은 무사하려나……."

같이 잡혀 있던 타이시와 치카는 이곳으로 오고 한 번도 만나지 못했다.

"그런데 선대 마왕은 왜 용사들을 사로잡았을까요……."

죽인다면 이해도 됐을 거다. 하지만 사로잡아서 이용하는 의도는 모르겠다. 대체 용사를 써서 뭘 하려는 것인가…….

이 【빅토리어스】를 점령하고 착실하게 힘을 비축하는 선대 마왕이 대체 무슨 생각으로 용사에게 목줄을 채웠는지 의문이었다.

어떻게든 선대 마왕의 꿍꿍이를 모두 파악해서 지금의 마왕인 이베엄에게 전달하고 싶지만, 여기서 나갈 비책도 떠오르지 않아서 답답할 따름이었다.

어쩔 수 없이 평소처럼 두꺼운 벽돌 벽에 기대어 멍하게 천장을 올려다보는데, 덜컥, 뒤에서 뭔가 단단한 것이 움직인 소리가 들렸다.

반사적으로 벽에서 떨어져 돌아봤다. 자세히 보니까 벽을 이룬 벽돌 하나가 달그락달그락 흔들리고 있었다.

'뭐, 뭐지……?!'

무심코 일어나서 경계하듯 거리를 뒀다. 잠시 후, 흔들거리던 벽돌이 갑자기 멈췄다.

"…………텍케일 시저…… 거기 있지?"

벽 너머에서 아주 작은 목소리가 들렸다. 여성의 목소리였다. 퍼뜩 쇠창살 밖을 돌아다니는 감시병을 봤다. 감시병은 지금 근처에 없었다.

"들리면 대답해주면 고맙겠는데?"

목소리는 점점 선명해졌다.

"저, 저기…… 누구시죠?"

낯선 목소리인 것은 확실했다. 그때, 벽돌이 서서히 무너지며 사람 한 명이 통과할 정도의 구멍이 생겼다.

그리고 베일에 싸여 있던 목소리의 주인을 확인할 수 있었다. 긴 암청색 머리에 날카로운 눈매. 무엇보다 그저 서 있기만 해도 왠지 모를 기품이 느껴졌다. 하지만 역시 모르는 인물이었다.

"궁금한 점은 많겠지만, 여기서 나가고 싶으면 따라와."

"……구해주시는 건가요?"

한순간 함정인가 의심했지만, 굳이 선대 마왕이 이런 수작을 부릴 이유가 없었다. 이베엄이 어딘가에 숨어 있어서 텍케일을 놓아주고 미행하려는 생각이라면 이해하지만, 그런 기색은 전혀 없었다.

"당신이 만나줬으면 하는 인물이 있어."

"만나줬으면 하는…… 인물요?"

조금 경계를 강화했다. 아직 그녀를 믿을 수는 없으니까.

그런 그녀의 입으로 생각지도 못한 인물의 이름이 나왔다.

"—쥬돔 란카스야."

"쥬, 쥬돔 씨?! 그 사람은 무사한가요?!"

그가 국왕 대리로 이 나라를 지탱한다는 사실은 감시병의 잡담을 통해 알았다. 그리고 아보로스가 습격했을 때 행방불명이 됐다는 것도.

"어쨌든 살고 싶으면 따라와. 여기서 할 수 있는 일이 있다면 그냥 남아도 되지만."

"그, 그건……."

그녀의 말대로 이런 곳에 있어도 아무것도 할 수 없었다. 한시라도 빨리 탈출해서 이베엄에게 돌아가고 싶었다.

"…………알겠습니다."

가령 이것이 함정이라도 일단 행동하자고 생각했다.

"그럼 가자."

"잠깐만요."

그녀가 발길을 돌리려는데 텍케일이 제지했다.

"왜 그래?"

"이, 이름. 적어도 이름을 알려주실래요?"

한순간 침묵이 흐르지만, 그녀는 가볍게 미소를 보이고 이름을 밝혔다.

"——마퀴스 블루노야."

■작가 후기

여러분, 처음 뵙는 분들께는 처음 뵙겠습니다. 오랜만에 뵙는 분들께는 오랜만에 뵙겠습니다. 토모토 스이입니다.

이번 『금색』 10권에서는 드디어 웹 연재 시에도 인기였던 《마타르 데우스 편》이 시작되었습니다.

히이로가 지금까지 싸웠던 적 중에서 틀림없이 최강의 상대인 아보로스. 그와 어떤 싸움을 펼칠지, 웹 버전과는 또 다른 재미가 있을 겁니다.

그리고 히이로뿐 아니라 동료들의 싸움에도 주목해 주셨으면 좋겠네요. 성장한 뮤아와 아놀드는 물론이고 닛키와 카뮤의 전투도 좋은 볼거리가 될 것입니다.

그리고 언젠가 세계가 말려드는 대전쟁도…….

전쟁 자체는 아직 멀었지만, 기대해 주시기 바랍니다.

전투 장면뿐 아니라 마음 따뜻해지는 이야기나 미식 등 일상의 에피소드도 많이 넣고 싶네요.

후기 뒤에는 등장인물의 프로필과 질문 코너도 있으니까 그쪽도 재미있게 봐주시면 좋겠습니다.

다음으로 이번 권의 내용에 관해 이야기하겠습니다.

히이로는 마법에 의존하는 전투의 위험성을 지각하고 다

른 방법으로 강해질 방안을 궁리하고 있었습니다.

그런데 어느 날, 히이로를 약 올리는 새끼 원숭이와 만나게 되죠. 원숭이를 쫓아서 도착한 곳은 현실이라고 믿기 힘들 만큼 환상적이고 아름다운 장소였습니다.

그곳은 정령들의 낙원이었고 히이로는 정령 원숭이— 텐과 정령 계약을 맺죠.

한편, 세계에서는 아보로스 세력이 암약하기 시작했습니다.

갑자기 【인간국 빅토리어스】에 나타난 아보로스는 국왕 대리로 사람들을 이끌던 쥬돔과 만나서 예상치 못한 행동을 벌입니다.

게다가 【수왕국 파시온】으로 간 히이로 앞에도 《마타르 데우스》의 마수가 뻗칩니다.

그곳에서 히이로는 정령 계약으로 얻은 새로운 힘을 시험하죠.

그리고 당연히 이번에도 미식 묘사가 많으니까 배가 고플 때 읽어서 함께 군침을 흘려주셨으면 좋겠네요.

마지막으로 감사 인사를 드리겠습니다.

10권 출판에 관여해 주신 모든 관계자, 팬 여러분께 감사드립니다.

원작 일러스트 담당 스마키 슌고 님은 그릴 캐릭터가 더욱 늘어나서 분명히 힘드시겠죠. 그래도 열심히 그려주셔서 감사합니다.

그리고 만화 담당 오자키 유스케 님은 항상 매력적인 그림을 그리셔서 만화를 읽을 때마다 감동합니다. 원작자로서 정말로 기쁘네요.

두 분에게 지지 않게 앞으로도 좋은 이야기를 쓰겠다는 일념으로 노력하겠습니다.

그리고 점점 금색의 교류가 넓어지도록 노력하겠으니, 앞으로도 잘 부탁드립니다.

그럼 다시 여러분과 만날 수 있기를 바랍니다.

그리고 여러분이 멋진 책과 만날 수 있기를.

토모토 스이

■역자 후기

안녕하십니까? 역자 김장준입니다.

드디어 권수가 두 자릿수로 올라왔군요. 이번 권은 9권에 이어서 본격적인 위기가 펼쳐지리라 예상했으나, 새로운 동료와 새로운 힘, 그리고 새로운 적의 등장으로 최종장의 기반을 쌓는다는 느낌이었습니다. 솔직히 여기서 동료가 더 늘어날 줄은 몰랐는데 말이죠.

그래도 히이로가 강해지는 수단으로 타인의 힘을 빌린다는 점은 고무적인 발전이네요. 사실 능력 면의 발전보다 이 정신적 발전이 중요할지도 모릅니다. 작품 초기부터 숨겨왔던 마음속 이야기를 터놓고 자신의 포부를 밝히는 장면에서 비로소 히이로라는 캐릭터가 완성된 느낌을 받았습니다. 앞으로 주인공이 얼마나 더 강해질지 한 사람의 독자로서 기대해 봅니다.

그럼 평소대로 한자 색인을 소개하며 저는 이만 물러나겠습니다. 감사합니다.

※한자는 작중 등장 순으로 나열했습니다.

『針(침)』: 바늘 침. '바늘'의 이미지.

『眠(면)』: 잘 면. '수면'의 이미지.

프로필

이름:

오카무라 히이로

용사 소환에 말려들어 이세계 이데아로 온 소년. 독서와 먹을 것을 무엇보다 좋아하며 누구에게나 거만한 태도로 일관한다. 완고하고 한결같은 면도 있지만, 천진난만한 아이 같은 부분도 하나의 매력이다.

성 별 : 남성	**【레벨】** 204
연 령 : 18세	**【HP】** 7880
신 장 : 175cm	**【MP】** 15500
체 중 : 58kg	**【마법 속성】** 무
출 신 : 지구(일본)	**【마법】** 문자마법
종 족 : 인간	**【칭호】** 말려든 자, 문자술사 등
	【무기】 절도 잔게키

작가의 질문 코너

작: 우선 좋아하는 책과 그 이유를 알려주세요.

히: 너한테 알려줄 이유도 의무도 없어.

작: ……그럼 싫어하는 건?

히: 지금처럼 독서를 방해하고 쓸데없는 질문을 하는 녀석.

작: 죄, 죄송합니다. 그, 그러면 마지막으로 한마디만 부탁합니다!

히: …………….

작: 책의 세계에 푹 빠지신 모양이네요.
정말로 죄송합니다.

프로필

이름: **뮤아 카스트레이아**

은발의 수인. 부끄러움을 많이 타지만, 노력가에 성실한 소녀. 히이로와 처음 만난 당시에는 연약하고 보호받는 존재였지만, 필사적으로 수련해 지금은 홀로 싸울 수 있는 존재로 성장했다. 히이로에게 아련한 연심을 품었다.

성 별 : 여성	【레벨】 72
연 령 : 13세	【HP】 1800
신 장 : 135cm	【MP】 380
체 중 : 34kg	【가장 특성】 뇌
출 신 : 린츠	【가장술】 번개 엄니, 진뢰전화 등
종 족 : 수인(???)	【칭호】 찌릿찌릿 엔젤, 사랑하는 소녀 등
	【무기】 홍원

작가의 질문 코너

작: 특기를 알려주세요.

뮤: 특기, 요? 그게…… 지금은 요리를 배우고 있어요!

작: 오호라, 이유가 있나요?
혹시 요리를 만들어주고 싶은 사람이라도?

뮤: 그, 그그그건! 비, 비밀……이에요.

작: 이야, 풋풋하네요.
사랑에 빠진 소녀로서 한마디 부탁합니다!

**뮤: 저, 저기! 앞으로도 열심히 노력할 테니까 응원해 주세요!
아으, 혀 꼬였어…….**